LA CÉLÉBRITÉ:

Un Masque

ZACHARIAS TANEE FOMUM

D1720493

books4
revival.com

info@books4revival.com

TABLE DES MATIÈRES

PRÉFACE

Ce livre *La Célébrité, Un Masque* est le dernier livre que le Professeur Fomun avait écrit de sa propre main, après presque 56 ans dans la foi et plus de 35 ans de ministère au Cameroun et à l'international.

Se basant sur l'exemple du Général Naaman qui dissimulait sa lèpre et la couvrait avec le masque du succès militaire, de l'argent, de l'honneur, de la célébrité et des choses semblables, l'auteur fait ressortir le fait que la majorité des gens portent des masques. En effet, bien qu'ayant un cœur pourri de péchés, plusieurs cachent leur condition en revêtant le masque de l'argent, des femmes, de la célébrité et autres.

Un masque, c'est quelque chose qu'on revêt pour tromper ou rendre la réalité confuse. Un masque, c'est quelque chose revêtu par une personne qui a peur que les gens sachent ce qu'elle est en réalité.

Ce livre qui est une présentation mûre de l'Evangile, reprend le fardeau que l'auteur avait pour les âmes vers la fin de sa vie.

Lis-le, et non seulement tu découvriras quel masque tu portes, mais tu rencontreras Jésus-Christ, le Sauveur, qui ôtera tes masques, et te donnera le salut de l'âme et la guérison du corps.

LE GENERAL NAAMAN

2 ROIS 5: 1-19

"Naaman, chef de l'armée du roi de Syrie, jouissait de la faveur de son maître et d'une grande considération; car c'était par lui que l'Eternel avait délivré les Syriens. Mais cet homme fort et vaillant était lépreux.

Or les Syriens étaient sortis par troupes, et ils avaient emmené captive une petite fille du pays d'Israël, qui était au service de la femme de Naaman. Et elle dit à sa maîtresse: Oh! si mon seigneur était auprès du prophète qui est à Samarie, le prophète le guérirait de sa lèpre! Naaman alla dire à son maître: la jeune fille du pays d'Israël a parlé de telle et telle manière. Et le roi de Syrie dit: Va, rends-toi à Samarie, et j'enverrai une lettre au roi d'Israël. Il partit, prenant avec lui dix talents d'argent, six mille sicles d'or, et dix vêtements de rechange. Il porta au roi d'Israël la lettre où il était dit: Maintenant, quand cette lettre te sera parvenue, tu sauras que je t'envoie Naaman, mon serviteur, afin que tu le guérisses de sa lèpre. Après avoir lu la lettre, le roi d'Israël déchira ses vêtements, et dit: Suis-je un dieu, pour faire mourir et pour faire vivre, qu'il s'adresse à moi afin que je guérisse un homme de sa lèpre? Sachez donc et comprenez qu'il cherche une occasion de dispute avec moi. Lorsqu'Elisée, homme de Dieu, apprit que le roi d'Israël avait déchiré ses vêtements, il envoya dire au roi: Pourquoi as-tu déchiré tes vêtements? Laisse-le venir à moi, et il saura qu'il y a un prophète en Israël. Naaman vint avec ses chevaux et son char, et il s'arrêta à la porte de la maison d'Elisée. Elisée lui fit dire par un messager: Va, et lave-toi sept fois dans le Jourdain; et ta chair redeviendra saine, et tu seras pur. Naaman fut irrité, et il s'en alla, en disant: Voici, je me disais: Il sortira vers moi, il se présentera lui-même, il invoquera le nom de l'Eternel, son Dieu, il agitera sa main sur la place et guérira le lépreux. Les fleuves de Damas, l'Abana et le Parpar, ne valent-ils pas mieux que toutes les eaux d'Israël? Ne pourrais-je pas m'y laver et devenir pur? Et il s'en retournait et partait avec fureur. Mais ses serviteurs s'approchèrent pour lui parler, et ils dirent: Mon père, si le prophète t'eût demandé quelque chose de difficile, ne l'aurais-tu pas fait? Combien plus dois-tu faire ce qu'il t'a dit: Lave-toi, et tu seras pur! Il descendit alors et se plongea sept fois dans le Jourdain, selon la parole de l'homme de Dieu; et sa chair redevint comme la chair d'un jeune enfant, et il fut pur. Naaman retourna vers l'homme de Dieu, avec toute sa suite. Lorsqu'il fut arrivé, il se présenta devant lui, et dit: Voici, je reconnais qu'il n'y a point de Dieu sur toute la terre, si ce n'est en Israël. Et maintenant, accepte, je te prie, un présent de la part de ton serviteur. Elisée répondit: L'Eternel dont je suis le serviteur, est vivant! Je n'accepterai pas. Naaman le pressa d'accepter, mais il refusa. Alors Naaman dit: Puisque tu refuses, permets que l'on donne de la terre à ton serviteur, une charge de deux mulets; car ton serviteur ne veut plus offrir à d'autres dieux ni holocauste ni sacrifice, il n'en offrira qu'à l'Eternel. Voici toute-fois ce que je prie l'Eternel de pardonner à ton serviteur. Quand mon maître entre dans la maison de Rimmon pour s'y prosterner et qu'il s'appuie sur ma main, je me prosterne aussi dans la maison de Rimmon: Veuille pardonner à ton serviteur, lorsque je me prosternerai dans la maison de Rimmon! Elisée lui dit: Va en paix.»

La Bible dit que Naaman était commandant de l'armée du roi d'Aram (Syrie). Naaman n'avait certainement pas commencé sa carrière comme commandant d'armée. Il y eut certainement un jour où Naaman fut recruté dans l'armée comme une très jeune recrue, avec peut-être un baccalauréat. Il fut recruté, mais n'avait aucun rang. Puis Naaman entra probablement à l'Académie Militaire où il eut de très bons résultats, déclassant les autres étudiants. A la sortie de l'Académie Militaire, il devint un lieutenant et fut affecté à un poste de service. Il était dévoué à ses dirigeants et servait de tout son cœur, prenant ces risques et manifestant cette bravoure qui le mirent à part de manière distincte. Il fut ensuite promu au rang de capitaine, et fit plus en tant que capitaine qu'il ne fit pour devenir capitaine. Il était loyal à ses supérieurs hiérarchiques. Il était obéissant. Il suivait les instructions qu'on lui donnait et servait ses supérieurs dans les choses pratiques. Ses subordonnés l'admiraient, le respectaient et l'aimaient. Il fut ensuite promu au rang de commandant et il continua à travailler et à vivre dans le même esprit de loyauté à sa nation, au roi d'Aram, et aux officiers qui étaient au-dessus de lui. Ceci continua pendant des années, et il eut promotion sur promotion à cause de son caractère et de ses exploits. Finalement, il atteignit le rang de général, et lorsque le roi d'Aram devait nommer un commandant pour les forces armées de Syrie, Naaman fut le choix évident. Il fut nommé commandant de l'armée de Syrie. Il fut nommé commandant de l'armée du roi de Syrie!!! Il avait atteint le sommet.

Il y a des gens qui échouent quand ils atteignent le sommet, car ils ne savent pas que quelqu'un qui arrive au sommet reste au sommet en payant un prix au moins équivalent au prix qu'il avait payé pour atteindre le sommet. Naaman connaissait cela, et il continua à payer le prix pour rester au sommet. Du fait qu'il continuait à payer le prix, il continua à s'élever. La Bible dit qu'en tant que commandant, «Naaman, chef de l'armée du roi de Syrie, jouissait de la faveur de son maître et d'une grande considération, car c'était par lui que l'Eternel avait délivré les Syriens.» (2 Rois 5: 1). C'est une chose d'être considéré grand par tes inférieurs. C'est une autre chose d'être considéré grand par tes égaux. C'est une chose totalement différente d'être considéré «un grand homme» aux yeux de ton autorité humaine suprême. Naanam était grand aux yeux du roi de Syrie. La grande estime que le roi de Syrie avait pour Naaman n'était pas une faveur. Le roi était contraint d'avoir une haute estime pour Naaaman -contraint par les succès militaires du Général Naaman. Partout où Naaman allait en guerre, il frappait l'ennemi et remportait la victoire. Lorsqu'il allait à droite, il frappait l'ennemi et ramenait la victoire au roi. Lorsqu'il allait à gauche, il décapitait l'ennemi et ramenait la victoire au roi. Lorsqu'il allait devant, il démantelait l'ennemi et ramenait la victoire au roi. Lorsqu'il allait en arrière, il écrasait l'ennemi et apportait la victoire au roi. Le nom "Général Naaman" équivalait à un succès militaire garanti. Les rois, les commandants, les soldats et les citoyens ennemis avaient une grande crainte de Naaman.

Le Général Naaman était évidemment très riche. Son salaire et ses primes devaient être très élevés. Il y avait aussi les grands dons en guise de félicitations venant du roi pour chaque victoire qu'il remportait Ensuite, il y avait le butin des troupes étrangères tuées ou fuyardes Naaman était riche, riche, riche. Je peux penser à plusieurs hommes et femmes qui auraient voulu la position de Naaman à cause de la richesse qui y était attachée. Si Naaman cherchait la richesse il l'avait. Naaman avait évidemment les femmes à sa disposition s'il le voulait. Il y avait les beautés d'Aram qui auraient aimé entretenir une relation avec lui pour l'argent, les faveurs ou pour la célébrité. Il avait à sa disposition les vierges des territoires conquis, s'il le voulait. Si Naaman voulait les femmes, elles étaient à ses pieds. Naaman avait aussi l'honneur, la célébrité et la gloire. Ses succès lui apportaient l'honneur, la célébrité et la gloire de la part des hommes. Sa richesse lui apportait l'honneur, la célébrité et la gloire. Son rang national en tant que deuxième personnalité après le roi lui procurait davantage d'honneur, de célébrité et de gloire. Le fait qu'il était connu et respecté dans toutes les nations conquises, et était craint et redouté dans les nations non attaquées, procurait à Naaman une célébrité, un honneur et une gloire supplémentaires. Naaman avait la Fortune, les Femmes et était Fameux. Naaman avait l'or, les filles et la gloire. Naaman semblait avoir tout ce dont un homme a besoin dans cette vie. S'il nous fallait arrêter l'histoire à ce niveau, Naaman serait une merveille, l'apogée même du succès, et tout ce que chacun pourrait désirer. Malheureusement ou heureusement, l'histoire ne s'arrête pas là.

GENERAL NAAMAN LE LEPREUX

L a Bible dit:

«Mais cet homme fort et vaillant était lépreux.»

Naaman était lépreux! Naaman était lépreux!! Le Général Naaman était lépreux!!! Le commandant d'armée du roi de Syrie était lépreux!!!!

Naaman lépreux! Combien c'était triste!! La lèpre, ajoutée à ce que le Général Naaman était changeait toute chose pour le pire. C'était un soldat fort et vaillant, mais il était lépreux. Il était riche, mais il était un riche lépreux. Il avait des femmes à sa disposition, mais il était lépreux. Il était célèbre, mais c'était un célèbre lépreux. Soudain, plus personne n'était attiré par sa richesse, c'était une richesse lépreuse. Personne n'était attiré par les femmes qui étaient à sa disposition. C'étaient des femmes à la disposition d'un lépreux. Personne n'était attiré par sa célébrité, son honneur et sa gloire. C'était celle d'un lépreux célèbre; une célébrité lépreuse!et honoré. La lèpre de Naaman avait du apparaître au début comme une petite tache. Avec le temps, elle s'était étendue et avait envahi progressivement son corps. Les effets de la lèpre s'accrurent de plus en plus avec le temps et Naaman su de plus en plus qu'il avait des problèmes. Mais Naaman cachait sa lèpre aux yeux des gens par son succès, par sa popularité et par l'autorité qu'il exerçait sur ses soldats. Il couvrait sa lèpre par les vête-ments, par les gants et par les chaussures qu'il portait. Tout était fait pour donner l'impression que tout allait bien.

Bien que Naaman cachât sa lèpre aux yeux des gens, il ne pouvait la cacher à ses propres yeux. A la fin de chaque journée, il se déshabillait, se regardait devant le miroir et reconnaissait le fait qu'il était un homme mourant. En dépit de la haute estime dont il jouissait auprès du roi et de son peuple, il était mourant. Il savait qu'un jour, un autre commandant serait nommé pour le remplacer à la tête de l'armée. Il savait que sa fierté, son succès, sa célé-brité, l'adoration des femmes et des amis ne pouvaient pas l'aider, et que bientôt, il mourrait et serait oublié. Dans un sens, pendant ses moments de solitude, il se haïssait et se demandait ce qu'il avait gagné de ses succès, de sa célébrité et des honneurs. Malgré ces constats, Naaman se remettait bientôt à penser à sa carrière pleine de succès, à sa relation avec le roi, à sa puissance sur l'ennemi, à l'admiration des femmes à sa disposition, et il devenait très fier de lui-même, de son être, de ses exploits, de ses possessions, etc., bien que l'avenir n'eût rien de prometteur pour lui à cause de sa lèpre.

③

TOI-AUSSI, TU ES UN LEPREUX AUJOURD'HUI!

Toi-aussi tu es un lépreux. Toi, indépendamment de qui tu es: un président, un roi, un empereur, un premier ministre, un prélat, un évêque, un leader musulman, un leader hindou, un leader bouddhiste, un seigneur, un ambassadeur, un diplomate, un secrétaire général des Nations Unies, un secrétaire général de l'Union Africaine, un secrétaire général de l'Organisation Mondiale de la Santé, un secrétaire général de toutes les autres organisations, un ministre de gouvernement, un membre du Parlement, un secrétaire permanent, un directeur, un chef de service, un dirigeant dénominationel, un pasteur aîné, sa majesté, sa grâce, etc., un vice-chancelier, un doyen de faculté, un chef de département, un professeur, un maître de conférence, un chargé de cours, un assistant, un étudiant en doctorat d'Etat, un étudiant en maîtrise, un étudiant en année de licence, un étudiant de l' enseignement supérieur, un élève du secondaire, un élève de l'école primaire, un marchand, un grand homme d'affaires, un architecte, un dessinateur, un Anglais, un Français, un Japonais, un Indien, un Chinois, un Africain, un Américain, un Asiatique, un homme très riche, un homme moyennement riche, un pauvre, un mendiant, une miss beauté, un prix Nobel, une personne de grande taille, une personne de petite taille, une personne mince, une personne grasse, une personne en très bonne santé, une personne très malade, etc., etc., etc. Qui que tu sois, tu es un lépreux. Tu as la lèpre appelée péché. Ton cœur est incliné vers le mal. Ton cœur cst incliné vers le mal! Tes désirs ne sont pas ceux de Dieu. Tes pensées ne sont pas celles de Dieu. Tes motifs ne sont pas tous ceux de Dieu. Ton apparence, tes regards, tes touchers, ne sont pas tous tels que Dieu les voudrait. Tes attitudes, tes goûts, tes valeurs, les dispositions de ton cœur, tes paroles, tes actions, tes possessions et les méthodes par lesquelles tu les as acquises et les motifs pour lesquels tu les as acquises et est en train de les garder, n'ont pas à 100,00 % l'approbation de Dieu. Je ne suis pas en train de dire que tu n'as pas plusieurs très bonnes pensées, plusieurs très bons motifs, plusieurs très bons goûts, attitudes, valeurs, paroles et actions. Je suis en train de dire que tes pensées, tes motifs, tes attitudes, tes valeurs, tes goûts, tes paroles, tes actions et tes possessions ne sont pas à 100,00% ce que Dieu veut qu'ils soient. La lèpre appelée péché est la maladie de chaque être humain qui a un score inférieur à 100,00 % en quoi que ce soit devant Dieu. Certaines personnes ont de meilleures performances que d'autres. Certains atteignent:

- 10 %
- 20 %
- 30 %
- 40 %
- 50 %

- 60 %
- 70%
- 80 %
- 90%
- 95%
- 98 %
- 99 %,

mais personne n'a atteint 100,00 % en toutes choses devant Dieu. La note de réussite de Dieu est 100,00 % en chaque chose. Quiconque a une note de 0,00 %, 10,00 %, ou 99,00 % a échoué à l'examen de Dieu, car sa note de passage est l'incontournable 100,00 %. Quand nous disons que tu as la lèpre du péché, nous disons simplement que à l'examen de Dieu dans lequel Il compare:

- les désirs
- les motifs
- les pensées
- les regards sur les autres
- l'apparence
- les attitudes
- les goûts
- les valeurs
- les dispositions du cœur
- les paroles
- les actes
- les possessions

avec ceux du modèle de Dieu, le Seigneur Jésus, ta note est quelque part entre 0,00% et 99,00 % et c'est un échec. Le Seigneur Jésus-Christ a eu 100,00 % en toutes choses devant Dieu. Pour réussir à l'examen de Dieu, une personne a besoin d'avoir la note qu'a obtenue Jésus-Christ. Quiconque est en dessous de cette note a échoué. Il a péché bien qu'il soit meilleur que les autres. Tous ont échoué à l'examen de Dieu. Tous ont échoué, bien que tous n'aient pas échoué au même degré. Certains ont échoué plus lamentablement que d'autres, mais tous ont échoué. Tu as échoué! Tu as échoué!! Tu as échoué!!! Comparé aux autres êtres humains, il se pourrait que tu sois le meilleur, mais comparé au Seigneur Jésus, tu n'as pas atteint la note de passage de Dieu. Tu pourrais dire en toi-même: «Pourquoi Dieu fait-Il que la note de passage soit si élevée?» Eh bien, je ne sais pas pourquoi Il a placé la note de passage si haut. Tout ce que je sais, c'est qu'Il a placé la barre à cette hauteur. Tu pourrais dire: «Mais cela fait que chaque être humain est un échec!» Tu as raison. Chaque être humain a échoué à l'examen de Dieu. Tous les êtres humains ont péché. La Bible dit: «Car tous ont péché et sont privés de la gloire de Dieu» (Romains 3: 23). Pour mettre cela dans le langage du Général Naaman, « tous les êtres humains ont la lèpre du péché.» Ils ont cette lèpre, quelle que soit leur religion. Ils pourraient être Catholiques, Protestants, Pentecôtistes; ils pourraient être Hindouistes, Bouddhistes, Musulmans; ils pourraient être animistes, païens, ou athées, etc., etc. Peu importe leur religion, mais selon les standards irrévocables de Dieu, ils ont péché et sont privés de la gloire de Dieu. Ils ont la lèpre du péché. Chaque personne est un lépreux. Pour certains, leur lèpre est juste encore une tache. Pour d'autres, elle a commencé à s'étendre. Pour d'autres encore, elle a couvert la quasi-totalité du corps, et pour d'autres, les doigts et les orteils ont commencé à tombé à cause de la lèpre. Tous sont pécheurs. Tous ont la lèpre appelée péché. Tous sont séparés de Dieu par leurs péchés.

Tu es séparé de Dieu par ton péché, quelle que soit ta religion. Tu pourrais nettoyer l'extérieur de ton corps, mais ton péché est dans le cœur, et tu ne peux pas le laver. Tu peux le cacher, mais tu ne peux pas l'ôter toi-même. Tu as un problème avec Dieu.

4

UN REGARD PLUS APPROFONDI SUR TOI EN TANT QU'UN PECHEUR

Extérieurement, tu as l'apparence d'avoir bien réussi comme Naaman. Tu as une bonne famille, une bonne épouse et de bons enfants. Ton mariage semble bien marcher. Plusieurs personnes souhaitent avoir un foyer comme le tien. Tu as un bon emploi et tes chances d'être promu sont élevées. Tu habites ta propre maison. Tu as une ou deux voitures. Tu as un compte bancaire bien fourni et des propriétés immobilières. Tu n'as pas de besoins bien qu'ayant quelques désirs non satisfaits. Tu sembles être un modèle de succès. Tu appartiens à une église ou à quelque chose de semblable que tu fréquentes à ta guise. Tu es considéré comme un homme de bien et un religieux. Tout cela n'est qu'en surface. Intérieurement, tu es un menteur. Tu mens volontairement et involontairement. Des mensonges coulent de toi spontanément. Tu voles d'une manière sage. Tu falsifies les chiffres et dérobes de l'argent que tu ne devrais pas prendre. Tu négocies les prix de manière à bénéficier de l'argent qui appartient à ton entreprise. Tu es malhonnête avec les chiffres quand il s'agit des impôts, des frais de douanes et des choses semblables. Tu donnes ou reçois des pots-de-vin en espèces ou en nature. Tu es le voleur en chef de cette entreprise.

Extérieurement, tu as une femme, mais en réalité, tu as d'autres femmes qui sont tes partenaires sexuels. Tu es un polygame, bien que n'ayant officiellement qu'une seule femme. Oui, officiellement, tu as une seule femme qui porte la bague et le titre de Madame, mais tu as d'autres «épouses» qui ne portent pas de bagues et n'ont pas ton nom, mais qui ont accès à ton corps. Finalement, il y a l'autre horde de filles aux corps desquelles tu n'as pas accès, mais dont tu convoites la beauté, et avec lesquelles tu commets l'adultère dans ton cœur ou en pensées. Tu pourrais être officiellement marié à une seule, mais, il pourrait y avoir cent, cinq cents, mille ou dix-mille femmes avec qui tu as couché dans tes pensées.

Tu pourrais être un ivrogne. Tu pourrais être un glouton. Tu pourrais appartenir à une secte occulte. Tu pourrais être un meurtrier. Tu pourrais être plein

- de méchanceté,
- de mal,
- de cupidité,
- de dépravation,
- d'envie,
- de luttes,
- de tromperie,
- de malice,
- de commérage,
- de médisance,
- d'insolence,
- d'arrogance

- de vantardise,
- de désobéissance,
- de folie,
- d'infidélité,
- de dureté de cœur,
- de cruauté,
- d'amour pour toi-même et non d'amour pour Dieu,
- d'amour pour de l'argent,
- d'ingratitude,
- d'amertume,
- de rancune,
- de tricherie,
- d'orgueil,
- de dissimulation,
- d'hypocrisie,
- de haine pour Dieu,
- de haine pour les choses saintes,
- de haine pour la vérité,
- de haine pour ce qui est saint.

5

UN REGARD PLUS APPROFONDI SUR TON PROPRE CŒUR

Il pourrait ne rien y avoir de mauvais avec ton visage. Il pourrait ne rien y avoir de mauvais avec ton corps. Cependant, quelque chose est mauvais avec ton cœur. Le Seigneur Jésus avait dit:

« Car c'est du dedans, c'est du cœur des hommes que proviennent:

les mauvaises pensées,

l'immoralité sexuelle

les vols,

les meurtres,

les adultères,

les cupidités,

la méchanceté,

la ruse,

le dérèglement,

le regard envieux,

le blasphème,

l'orgueil,

la folie.

Toutes ces choses mauvaises sortent du dedans, et souillent l'homme.» (Marc 7. 21-23)

Le problème de la lèpre appelée péché est tout d'abord un problème de cœur. Le cœur de l'homme est une usine de péchés. Tout le mal commis par l'homme vient du cœur. Il pourrait paraître beau à l'extérieur, avoir de l'argent à l'extérieur, des diplômes à l'extérieur, être bien élevé à l'extérieur, mais à l'intérieur se trouve une usine de péchés. Il pourrait avoir un doctorat d'Etat comme qualification, mais être en même temps un pauvre ivrogne désespéré. Il pourrait enseigner la morale aux gens, mais être lui-même une personne très immorale. Il pourrait appartenir à un groupe religieux, mais être totalement inchangé à l'intérieur, tant et si bien qu'il peut dire une chose sur la chaire, mais exécuter l'opposé hors de la chaire. Il pourrait prendre beaucoup de résolutions pour arrêter ses péchés, mais la puissance de ses péchés est plus forte que celle de ses résolutions. Le problème du péché est plus profond et plus puissant que la volonté de l'homme.

Vu la profondeur du problème, les tentatives de cacher le péché sont inutiles. Dieu regarde au cœur. La Bible dit:

« L'Eternel ne considère pas ce que l'homme considère. L'homme regarde à ce qui frappe les yeux, mais l'Eternel regarde au cœur.» (1 Samuel 16: 7b).

Tu pourrais couvrir tes péchés aux yeux de l'homme:

- en portant de beaux vêtements,
- en revêtant une bonne apparence,
- en affichant un beau sourire bien qu'étant plein d'amertume à l'intérieur,
- en appelant ta femme «chérie» bien que la relation soit morte,
- en embrassant chaleureusement ta femme avant d'aller vers d'autres femmes,
- en étant un membre régulier d'une bonne église,
- en étant un responsable dans un bon système religieux,
- en donnant occasionnellement ou fréquemment de l'argent à une cause religieuse,
- en ayant une Bible ou deux à la maison,
- en récitant des prières à des intervalles réguliers.

Cependant, tu connais toi-même les problèmes profonds de ton cœur. Tu sais que pendant que les choses ci-dessus sont revêtues en quantité croissante, ta capacité

- à mentir
- à tricher
- à être malhonnête
- à être cupide
- à haïr certaines personnes
- à falsifier les faits
- à convoiter les femmes
- à te rebeller contre l'autorité
- à vouloir de plus en plus de gain aux dépens des autres
- à planifier le mal

- à jouir du péché
- etc.,

n'a pas du tout changé. Les tentatives de couvrir et de cacher le péché ne peuvent pas changer le cœur. Elles ne peuvent qu'augmenter sa corruption.

6

ADMETS QUE TU ES CE QUE TU ES

Tout ce que tu as fait jusqu'à présent pour couvrir ton péché, est le port d'un masque. Tu as porté un bague toutes ces années pour dire au public que tu n'étais pas disponible, que tu appartenais à quelqu'un, mais ta vie a raconté une histoire différente. Ce que tu as dit à tes enfants de faire et ce que tu as attendu d'eux a été différent de ce que ta vie et ton cœur ont dit. Tu as joué un rôle pendant trop longtemps. Tu t'es séduit toi-même pendant trop longtemps. Dieu a vu les contradictions entre ce que tu as dit et ce que tu es pendant trop longtemps. C'est maintenant le moment de reconnaître la vérité au sujet de ta personne. C'est le moment d'admettre la vérité au sujet de ce que Dieu connaît de toi. Dis, «je reconnais, moi ... (Nom entier)... que je suis:

- sexuellement immoral,
- infidèle à mon conjoint en actes, en paroles, pensées et désirs,
- un meurtrier dans mes pensées et désirs,
- quelqu'un qui hait une ou plusieurs personnes,

- un amoureux de ma personne dans certaines choses au lieu d'être un amoureux de Dieu,
- un ennemi de Dieu dans certaines choses,
- jaloux,
- un médiseur d'une ou de plusieurs personnes,
- un glouton,
- un tricheur dans certaines situations,
- malhonnête dans certaines choses,
- quelqu'un qui exagère parfois,
- quelqu'un qui se rebelle contre l'autorité quand la rébellion est favorable,
- quelqu'un qui préfère les ténèbres dans certaines circonstances,
- quelqu'un qui hait quelquefois la vérité,
- quelqu'un qui cache sa colère derrière un sourire,
- quelqu'un qui porte un masque d'une façon ou d'une autre afin que ma vraie personne ne soit pas connue.»

7

LE MASQUE

Un masque est quelque chose qu'on revêt pour tromper ou rendre la réalité confuse aux yeux des gens. La grande majorité de gens portent des masques. Les gens apprennent à porter des masques. On enseigne aux gens à porter des masques. Un homme blessé apprend à sourire comme si tout allait bien. Des ennemis s'embrassent comme s'ils étaient des amoureux. Mari et femme qui ne communiquent d'aucune manière en privé se tiennent par la main en public et essaient de donner l'impression qu'ils sont les plus chers amis. Un masque, c'est quelque chose revêtu par une personne qui a peur que les gens sachent qu'elle est ce qu'elle est. Les gens inventent des histoires au sujet de leurs succès, exploits, grands accomplissements, etc., pour cacher de profonds sentiments d'échec. Une personne qui se sent dans l'insécurité peut prendre des airs pour cacher l'insécurité profonde qu'elle a à l'intérieur. Un homme, handicapé par un profond sens d'échec peut acheter une grosse voiture, bâtir un grand immeuble et vivre dans un luxe extrême, afin de cacher son insécurité intérieure. Plusieurs choses que les gens font à l'extérieur pour attirer l'attention sur eux-mêmes sont des masques pour couvrir leurs:

- incertitudes
- craintes
- doutes
- échecs
- blessures
- colère
- désespoir
- amertume
- etc.

Les efforts de plusieurs personnes pour:

- être la personne numéro un
- déclasser toute autre personne
- faire ce que personne d'autre n'a jamais fait
- être vu
- être entendu
- qu'on parle d'eux
- être exalté
- être admiré
- être honoré
- avoir le dernier mot
- être considéré grand
- être considéré exceptionnel
- qu'on se souvienne d'eux
- etc.,

sont juste des masques qu'ils ont revêtus.

8

L'ORGUEIL EST UN MASQUE

Naaman avait la lèpre, mais il la dissimulait et la couvrait avec le succès militaire, l'argent, l'honneur, la célébrité et les choses semblables. Aucune de ces choses revêtues de l'extérieur n'avait changé la condition intérieure de Naaman. Il était mourant. Il n'avait pas d'avenir. La mort était son avenir assuré.

De même, tu pourrais être orgueilleux. Tu pourrais être imbu de toi-même. Tu pourrais te vanter au sujet de ta beauté physique; mais à quoi ressembleras-tu dans cinquante ans? Tu pourrais te vanter de ta performance académique, mais que signifiera pour toi ta performance dans cent ans? Tu pourrais te vanter de ta richesse, mais combien de cela emporteras-tu quand il te faudra bientôt t'en aller aussi nu et démuni que tu l'étais quand tu es venu dans ce monde? Toute ta vantardise n'est que folie. C'est un masque. Tu te vantes au sujet de ce que tu ne peux pas garder. Tu te vantes au sujet de ce que tu ne possèdes pas véritablement. Tu n'es rien. Déshabille-toi! Enlève tous tes habits et regarde-toi dans un miroir. C'est ainsi que tu es.

C'est tout ce que tu es, et bientôt tu seras moins que cela. Bientôt tu seras un cadavre. Tu seras bientôt déposé dans une tombe à deux mètres dans le sol. C'est là que finira ta vie. Tes masques resteront derrière, mais tu t'en iras tel que tu es venu. Peu importe qui tu es. Que tu sois:

- un président,
- un roi,
- un premier ministre,
- un chef d'entreprise,
- un diplomate de haut rang,
- un ministre,
- une autorité religieuse
- etc.,

tu seras bientôt dans une caisse dans la tombe, et tout ce que tu as acquis et dont tu t'es vanté ne t'aidera d'aucune manière. Tu n'as rien pour lequel tu devrais être fier. Tu n'as rien qui mérite que tu t'enorgueillisses.

Te vantes-tu d'aimer l'argent?

Te vantes-tu d'avoir un cœur plein de mensonges, de tromperie et de fausseté?

Te vantes-tu d'être un adultère international et d'avoir convoité des êtres humains de plusieurs nations dans ton cœur et couché avec eux?

Te vantes-tu d'avoir tué, volé, triché, etc., pour acquérir tout ce qu'on appelle maintenant ta richesse?

Te vantes-tu du fait que ton père, ta mère ou ton parent a tué, volé, triché, etc., pour acquérir tout ce dont tu as hérité, et que tu appelles maintenant ta richesse?

Ta vantardise est-elle fondée sur une vraie supériorité? Toi qui te vantes de tes performances académiques, où est ton prix Nobel? Si tous les intellectuels de ta génération s'alignaient selon leurs accomplissements, occuperais-tu le premier, deuxième, troisième ou même centièmérang ? Comment peux-tu oser te vanter alors que tu pourrais ne pas être parmi les cent premiers? Toi qui te vantes de ta richesse, es-tu parmi les trois, les dix ou même les cent personnes les plus riches de ta génération? Toi qui te vantes au sujet de ta beauté physique, si tous les hommes beaux de ta génération étaient rassemblés, serais-tu premier, troisième ou même centième? Même si tu es chef d'Etat, es-tu le chef d'Etat de la nation la plus juste sur terre? Vois-tu que ton orgueil pourrait être sans aucune fondation solide? Tu pourrais être à la tête d'une nation très peuplée; tu pourrais être à la tête d'une nation industrialisée, mais est-ce une raison pour t'enorgueillir? Si toutes tes pensées, paroles et actions étaient étalées aux yeux du monde, pourrait-on être fier de toi? Comment peux-tu te vanter d'être le leader d'un peuple qui a honte de ton leadership parce qu'ils connaissent certains de tes actes? Ne vois-tu pas que connaissant tes pensées, tes paroles, tes actes, tes mensonges, tes tromperies, tes hypocrisies, tes vols, tes adultères, et les choses semblables, tu ne peux vraiment pas être fier de toi, car il y a tellement de choses qui nécessitent d'être enterrées, cachées et oubliées?

L'autre chose à laquelle il faut penser, c'est la durée de ta vie. Combien de temps vivras-tu? Ta vie pourrait arriver à sa fin aujourd'hui. Ta vie pourrait brusquement arriver à sa fin et tu deviendras alors un cadavre. Qu'adviendra-t-il alors de tes richesses, de tes accomplissements, de ton orgueil et de tout ce que tu as acquis ou pour lequel tu as vécu?

Ton orgueil est un masque. Tu es juste comme tous les autres. Si ton cœur lâche maintenant tu deviendras immédiatement un cadavre et tu seras indésirable même par ceux qui te flattaient le plus.

Tu devrais jeter au loin ton masque ou tes masques et faire face à toi-même. Un certain jour, tu es venu dans ce monde nu. Tu partiras de ce monde nu un autre jour. Tu es un lépreux ayant la lèpre du péché. Tu partiras de ce monde avec tes péchés. Tu ne peux pas les laisser derrière toi. Tu feras face à Dieu avec tes péchés. Je n'en connais pas le nombre. Prenons pour acquis que tu n'as commis qu'un seul péché chaque matin, un autre chaque après-midi et un autre chaque soir. Prenons pour acquis que tu as commis trois péchés chaque jour de ta vie, et que tu es maintenant âgé de quarante ans. Cela signifie:

$$3 \times 365 \times 40 = 43.800 \text{ péchés.}$$

Tu emporteras avec toi ces quarante trois mille huit cents péchés pour faire face au Dieu dont la sainteté L'empêche de tolérer le moindre péché en quiconque.

C'est ce qui t'attend dans l'avenir, -une rencontre en tant que pécheur avec le Dieu de sainteté! Ce sera très dur pour toi en ce jour-là!!

En préparation pour ce jour-là, ta vie est enregistrée depuis que tu es né. Chacune de tes pensées a été enregistrée. Chacun de tes désirs a été enregistré. Tous tes motifs ont été enregistrés. Chaque regard à chaque personne ou chose a été enregistré. Ton attitude de cœur envers chaque femme qui passait à été enregistrée. Chacune de tes paroles sur chaque sujet a été enregistrée. Chaque acte que tu as posé ou demandé qu'on pose a été enregistré. Chacune de tes possessions, ainsi que la méthode et le motif de leur acquisition ont été enregistrées. Tout le bien que tu aurais du faire, mais que tu n'as pas fait a été enregistré. Tout est enregistré! Tout est enregistré!!Tout est enregistré. Ce jour-là, tu pourrais te rendre compte que tu n'as pas commis trois péchés par jour. Le registre pourrait montrer que tu as menti cent fois par jour. Le registre pourrait montrer que tu as eu des pensées impures envers une fille ou plusieurs femmes en un jour. Le registre pourrait montrer que tu as juré ou blasphémé plusieurs fois. Le registre pourrait montrer que tu as commis

30 x 365 x 40 = 438.000 péchés,

et peut-être plus en quarante années de ta vie!!!

La Bible dit:

> *«Et je vis les morts, les grands et les petits, qui se tenaient devant le trône. Les livres furent ouverts. Et un autre livre fut ouvert, celui qui est le livre de vie. Et les morts furent jugés selon leurs œuvres, d'après ce qui était écrit dans ces livres. La mer rendit les morts qui étaient en elle, la mort et le séjour des morts rendirent les morts qui étaient en eux, et chacun fut jugé selon ses œuvres. Et la mort et le séjour des morts furent jetés dans l'étang de feu. C'est la seconde mort, l'étang de feu. Quiconque ne fut pas trouvé écrit dans le livre de vie fut jeté dans l'étang de feu. (Apocalypse 20:12-15)*

L'étang de feu sera le juste salaire gagné pour les péchés de ta vie. Si tu as commis un péché, tu seras jeté dans le lac de feu. Si tu as commis dix péchés, tu seras jeté dans le lac de feu. Si tu as commis cent péchés, tu seras jeté dans le lac de feu. Si tu as commis mille péchés, tu seras jeté dans le lac de feu. Si tu as commis un million de péchés, tu seras jeté dans le lac de feu. Chaque être humain sur la terre est qualifié pour être jeté dans le lac de feu. Oublions pour le moment les autres êtres humains. Toi, en tant qu'individu, tu es qualifié pour être jeté dans le lac de feu. Tes péchés t'ont donné la qualification pour passer l'éternité en enfer, dans le lac de feu. Tu pourrais te dire à toi-même que tu ne crois pas la vie après la mort; que tu ne crois pas en Dieu et que tu ne crois pas au lac de feu. Peu importe que tu crois ou non à l'étang de feu maintenant. Ce jour-là, quand tu seras dans le lac de feu, tu seras un fervent croyant du lac de feu et il sera trop tard pour faire quoi que ce soit à ce sujet.

Tu es qualifié pour être jeté dans le lac de feu. Ton bilan devant Dieu dit de toi: «Cette personne est qualifiée pour l'enfer». Quelle est donc l'utilité de tous tes masques de célébrité, de grandeur et de notoriété quand derrière ces masques il y a un pécheur en route pour l'enfer?

Penses-y et réfléchis. Ote ton masque ou tes masques, et fais tout ce que tu dois faire pour échapper au lac de feu. Ote ton masque ou tes masques, et fais tout ce qu'il faut faire pour recevoir le pardon de Dieu et la restauration à Lui.

9

NAAMAN ET LE CHEMIN VERS LA SANTE ET LA VIE: 01

LA CELEBRITE: UN MASQUE

L a fille captive avait dit:

«Oh! si mon seigneur était auprès du prophète qui est à Samarie,
le prophète le guérirait de sa lèpre!» (2 Rois 5: 3)

Naaman devait aller chez le prophète qui était à Samarie. Mais au lieu d'obéir, Naaman eut recours à son rang et à son statut social. Il alla trouver le roi et lui fit part de ce que la fille captive d'Israël avait dit. Les deux auraient du simplement obéir à ce qu'avait dit la fille, mais ils ne le firent pas. Le roi décida d'envoyer une lettre au roi d'Israël. Pour lui, c'était plus ou moins une manière de dire: «Je suis un roi et je traite avec les rois. Je traite avec les gens de mon rang. Je ne traite pas avec les prophètes. Ils ne sont pas des rois».

Les rois ont leur place dans la société et ils ont leur rôle à jouer. Mais la jeune fille n'avait pas dit: Si mon seigneur était auprès du roi qui est en Israël! Il le guérirait de sa lèpre. Elle avait dit: «Oh! Si mon seigneur était auprès du prophète qui est à Samarie! Il le guérirait de sa lèpre!» Le roi de Syrie et Naaman mirent de côté les suggestions de la fille captive et élaborèrent les leurs qui cadraient bien avec leur pensée et leur rang social. Naaman se rendit en Israël avec une lettre qui disait au roi d'Israël: «Maintenant, quand cette lettre te sera parvenue, tu sauras que je t'envoie Naaman, mon serviteur afin que tu le guérisses de sa lèpre».

> «Après avoir lu la lettre, le roi d'Israël déchira ses vêtements, et dit: Suis-je Dieu, pour faire mourir et faire vivre, qu'il s'adresse à moi afin que je guérisse un homme de sa lèpre? Sachez donc et comprenez qu'il cherche une occasion de dispute avec moi». (2 Rois 5: 7)

Le roi d'Israël ne pouvait pas guérir Naaman de sa lèpre. Naaman n'aurait pas du aller vers lui. L'homme malade était allé vers la mauvaise personne pour la solution. Le roi de Syrie était célèbre! Naaman était célèbre. Mais leur célébrité aveugla leurs yeux. Ils pensaient que la royauté ou la célébrité sur terre était finale. Ils ne voyaient pas le fait qu'un homme peut paraître un grand succès devant les hommes, mais au fond de lui-même, être un homme brisé; un homme malade; un homme solitaire; un homme troublé; un homme vide; un homme frustré; un homme mourant. La plupart des gens qu'on pense être des célébrités utilisent le succès apparent pour cacher un échec mordant, un vide mordant, une inutilité lancinante. L'un d'eux, une personne semblable, un roi qui avait sept cents princesses comme femmes, et trois cents beautés comme concubines, en plus d'une richesse matérielle et d'une puissance immenses, écrivit:

« Et j'ai haï la vie, car ce qui se fait sous le soleil m'a déplu, car tout est vanité et poursuite du vent. J'ai haï tout le travail que j'ai fait sous le soleil, et dont je dois laisser la jouissance à l'homme qui me succèdera. Et qui sait s'il sera sage ou insensé? Cependant il sera maître de tout mon travail, de tout le fruit de ma sagesse sous le soleil. C'est encore là une vanité. Et j'en suis venu à livrer mon cœur au désespoir, à cause de tout le travail que j'ai fait sous le soleil. Car tel l'homme a travaillé avec sagesse et science et avec succès, et il laisse le produit de son travail à un homme qui ne s'en est point occupé. C'est encore là une vanité et un grand mal. Que revient-il en effet, à l'homme de tout son travail et de la préoccupation de son cœur, objet de ses fatigues sous le soleil? Tous ses jours ne sont que douleur, et son partage n'est que chagrin; même la nuit son cœur ne repose pas. C'est encore là une vanité (Ecclésiaste 2: 17-23)

Ce sont là les conclusions du roi Salomon. La Bible dit de ce Salomon:

«Dieu donna à Salomon de la sagesse, une très grande intelligence, et des connaissances multipliées comme le sable qui est au bord de la mer. La sagesse de Salomon surpassait la sagesse de tous les fils de l'Orient et toute la sagesse des Egyptiens. Il était plus sage qu'aucun homme, plus qu'Ethan, l'Ezrachite, plus qu'Heman, Calcol et Darda, les fils de Machol; et sa renommée était répandue parmi toutes les nations d'alentour. Il a prononcé trois mille sentences, et composé mille et cinq cantiques. Il a parlé sur les arbres, depuis le cèdre du Liban jusqu'à l'hysope qui sort de la muraille, il a aussi parlé sur les animaux, sur les oiseaux, sur les reptiles et sur les poissons. Il venait des gens de tous les peuples pour entendre la sagesse de Salomon, de la part de tous les rois de la terre qui avaient entendu parler de sa sagesse». (1 Rois 4: 29-34).

Aux yeux des observateurs, Salomon avait l'air d'être une merveille. Mais il savait lui-même que tout était vanité. Tout était un grand malheur.

Après avoir accumulé toute la richesse que tu voulais, toi-aussi, comme Salomon, tu découvriras que tout est vanité. Tout est un grand malheur. Après avoir conquis toutes les belles filles et femmes que tu désirais, toi-aussi, comme Salomon tu découvriras que tout est vanité. Tout est un grand malheur. Après avoir atteint les hauteurs de la gloire presqu'inédite de ce monde, de manière que tu aies à tes pieds les gens dans toutes les directions, toi-aussi, comme Salomon, tu te rendras compte que tout est vanité. Tout est poursuite du vent. Tout est un grand malheur La célébrité est un masque!!!

10

NAAMAN ET LE CHEMIN VERS LA SANTE ET LA VIE: 02

DES SOLUTIONS CONTREFAITES

Nous avons vu que Naaman avait soumis son problème à la mauvaise personne, -le roi d'Israël, qu'il n'y avait pas trouvé de solution. Cela avait engendré plutôt d'autres problèmes, car le roi d'Israël avait déchiré ses vêtements et accusé le roi de Syrie de vouloir lui chercher querelle. Le problème de Naaman était le péché et la maladie. Le roi d'Israël avait également le problème de péché et peut-être de maladie. Comment pouvait-il procurer de l'aide dans une situation où il était lui-même sans ressource? Naaman ne voyait pas son péché, mais au moins il voyait sa maladie. Même pour sa maladie, le roi d'Israël ne pouvait pas lui procurer de l'aide.

Toi également tu as le problème de péché et peut-être de maladie; de péché et peut-être d'échec dans la vie, en dépit de la richesse apparente, de la célébrité apparente, de l'honneur apparent, de la notoriété apparente, du succès apparent, du succès académique apparent, du succès militaire apparent, du succès professionnel apparent, du succès conjugal apparent, du succès apparent avec les enfants, du

succès apparent avec telle ou telle autre chose; avec telle
ou telle personne; etc., etc., etc. Tu es apparemment plein
de succès, mais tu n'as pas réussi. Tu n'es pas au repos. Tu
n'as pas de paix avec Dieu, et au-delà de la tombe, tu sais
que tu feras face au Juge de tout l'univers et Lui rendras
compte de ta vie entière. Tu rendras compte de chaque

- désir,
- pensée,
- motif,
- regard,
- apparence,
- attitude,
- valeur,
- goût,
- disposition,
- parole,
- acte,
- possession,

de ta naissance jusqu'à la mort. Le Juge de tout l'univers a
enregistré chaque: désir, pensée, motif, regard, apparence,
attitude, valeur, goût, disposition, parole, acte et possession, depuis le jour où tu fus né jusqu'à présent. Il continuera à enregistrer le reste de ta vie entre maintenant et le
jour de ta mort. D'ici à ce que tu comparaisses devant Lui,
tous tes registres seront complets devant Lui, et tu les
confronteras. La Bible dit:

> «Et comme il est réservé aux hommes de mourir une seule fois,
> après quoi vient le jugement...» (Hébreux 9: 27).

La Bible continue de dire:

« Puis je vis un grand trône blanc, et celui qui était assis dessus. La terre et le ciel s'enfuirent devant sa face, et il ne fut plus trouvé de place pour eux. Et je vis les morts, les grands et les petits, qui se tenaient devant le trône. Des livres furent ouverts. Et un autre livre fut ouvert, celui qui est le livre de vie. Et les morts furent jugés selon leurs œuvres, d'après ce qui était écrit dans ces livres. La mer rendit les morts qui étaient en elle, la mort et le séjour des morts rendirent les morts qui étaient en eux; et chacun fut jugé selon ses œuvres. Puis la mort et le séjour des morts furent jetés dans l'étang de feu. C'est la seconde mort, l'étang de feu. Quiconque ne fut pas trouvé écrit dans le livre de vie fut jeté dans l'étang de feu.» (Apocalypse 20: 11-15)

Naaman avait le problème du péché qui le conduirait au lac de feu, ce qui est la seconde mort. Il avait aussi le problème de la lèpre qui allait lui causer la mort physique, ce qui est la première mort. Il chercha comment il pouvait se libérer de la lèpre physique, mais il n'était pas troublé par comment il pourrait se libérer de la lèpre spirituelle, -le péché et sa juste conséquence, le lac de feu. Plusieurs personnes sont comme lui. Elles sont préoccupées par les problèmes du corps physique, mais n'ont pas de temps pour les problèmes du corps spirituel. Elles se préoccupent de la guérison de leur corps, mais ne se soucient pas de la guérison de leur esprit et de leur âme. Elles sont préoccupées par le temps, mais n'ont aucune pensée pour l'éternité. Ne sois pas comme ces gens-là. Si tu as cent ans, tu feras face à l'éternité en tant que réalité dans vingt autres années (Genèse 6: 3). Si tu as cinquante ans tu feras face à l'éternité en tant que réalité dans soixante-dix autres années. Si tu as vingt ans, tu feras face à l'éternité en tant qu'une réalité dans cent autres années. Evidemment, tu pourrais ne pas vivre jusqu'à cent vingt ans et pourrais donc être appelé à faire face à l'éternité plus tôt que prévu. Tu pourrais être appelé à faire face à l'éternité dans un an, dans un mois, dans une semaine. Tu pourrais même être appelé à faire face à l'éternité aujourd'hui. Le Seigneur Jésus-Christ a une fois raconté la parabole suivante:

«Les terres d'un homme riche avaient beaucoup rapporté. Et il raisonnait en lui-même, disant: Que ferai-je? Car je n'ai pas de place pour serrer ma récolte .Voici, dit-il, ce que je ferai: j'abattrai mes greniers, j'en bâtirai de plus grands, j'y amasserai toute ma récolte et tous mes biens; et je dirai à mon âme: mon âme, tu as beaucoup de biens en réserve pour plusieurs années; repose-toi, mange, bois, et réjouis-toi. Mais Dieu lui dit: Insensé! cette nuit même ton âme te sera redemandée, et ce que tu as préparé, pour qui cela sera-t-il? Il en est ainsi de celui qui amasse des trésors pour lui-même, et qui n'est pas riche pour Dieu;» (Luc 12:16-21)

Alors que cet homme pensait qu'il avait encore beaucoup d'années devant lui, Dieu lui dit que ses jours s'achevaient cette nuit-là. Il n'était pas prêt à faire face à l'éternité! Il n'était pas prêt à faire face au juge!! Il n'était pas prêt à faire face à sa pauvretépar rapport à Dieu!!! Il était perdu. Il était perdu par rapport à lui-même et perdu par rapport à Dieu. Il perdit cette vie et partit en enfer. Ne sois pas comme lui. Prépare-toi à rencontrer ton Dieu maintenant. Prépare-toi à mourir aujourd'hui, et si tu te prépares et ne meurs pas aujourd'hui, mais vis encore pendant plusieurs années supplémentaires, tu vivras dans un état de préparation quotidienne et ce sera en ta faveur.

Peut-être as-tu confronté la question de ta lèpre du péché, mais tu t'es tourné vers la mauvaise solution, tout comme Naaman s'était tourné vers le roi d'Israël pour la solution à sa lèpre physique. Se pourrait-il que tu te sois tourné vers une religion, ou que tu sois piégé dans une religion ou un système religieux qui exige que tu te sauves toi-même bien que sachant que tu ne peux te sauver toi-même? Il y a plusieurs systèmes de ce genre. Leurs fondateurs n'ont jamais trouvé le salut pour eux-mêmes, mais ont trompé les gens, tant et si bien que adeptes et fondateurs sont tous perdus, et sont en route pour l'enfer. T'es-tu tourné vers la sorcellerie, la divination, la magie, l'occultisme, le culte des morts et plusieurs systèmes du genre qui offrent un espoir apparent, mais au fond de ton cœur, tu sais que tu es perdu et que tu es en train d'aller dans le lac de feu? Es-tu piégé dans un pseudo-système chrétien qui prêche la délivrance de l'enfer par Christ plus les bonnes œuvres? C'est aussi là une séduction. Es-tu piégé dans un système contrefait qui prêche le salut par le sang du Seigneur Jésus, mais dont les dirigeants sont liés par le péché en pensées, en paroles et en actes. Ils ont une forme de piété, mais en renient la puissance? Si le Christ prêché par les dirigeants est sans puissance pour les délivrer du péché dans les actes, les paroles et les pensées, quel espoir y a-t-il pour toi si tu deviens membre d'un tel système? Tu auras simplement gaspillé ton temps, car ceux qui continuent à pécher en actes, en paroles et en pensées iront tous dans le lac de feu. Le Seigneur Jésus-Christ a enseigné, disant:

> *« Vous avez appris qu'il a été dit: Tu ne commettras point d'adultère. Mais moi je vous dis que quiconque regarde une femme pour la convoiter a déjà commis un adultère avec elle dans son cœur. Si ton œil droit est pour toi une occasion de chute, arrache-le et jette-le loin de toi. Car il est avantageux pour toi qu'un seul de tes membres périsse et que ton corps entier ne soit pas jeté dans la géhenne. Et si ta main droite est pour toi une occasion de chute,*

coupe-la et jette-la loin de toi, car il est avantageux pout toi qu'un seul de tes membres périsse, et que ton corps entier n'aille pas dans la géhenne.» (Matthieu 5: 27-30)

Le Seigneur a dit encore:

« Ceux qui me disent: Seigneur, Seigneur! n'entreront pas tous dans le royaume des cieux, mais celui-là seul qui fait la volonté de mon Père qui est dans les cieux.» (Matthieu 7: 21)

Le Seigneur Jésus dit encore:

«Celui qui vaincra héritera ces choses; je serai son Dieu, et il sera mon fils. Mais pour les lâches, les incrédules, les abominables, les meurtriers, les impudiques, les enchanteurs, les idolâtres, et tous les menteurs, leur part sera dans l'étang ardent de feu et de soufre, ce qui est la seconde mort.» (Apocalypse 21:7-8)

Ceux qui ont trouvé le Seigneur Jésus comme solution à la lèpre du péché ont cessé d'être lâches, incrédules, abominables, meurtriers, impudiques! Ils ont cessé de pratiquer les arts magiques!!Ils ont abandonné toute idolâtrie!!! Ils ont abandonné tout mensonge et ils préfèrent mourir plutôt que de mentir. Ils ont trouvé Celui qu'on appelle Jésus, Qui est venu libérer Son peuple de ses péchés, et Il les a libérés du péché et les a rendus sans tache. Voilà le véritable salut de Jésus. Toute autre chose est une contre-façon, et les contrefaçons seront dans l'étang de feu. La Bible dit:

«Ne savez-vous pas que les injustes n'hériteront point le royaume de Dieu? Ne vous y trompez pas: ni les impudiques, ni les idolâtres, ni les adultères, ni les efféminés, ni les infâmes, ni les

cupides, ni les ivrognes, ni les outrageux, ni les ravisseurs, n'hériteront le royaume de Dieu. Et c'est là ce que vous étiez, quelques-uns de vous. Mais vous avez été lavés, mais vous avez été sanctifiés, mais vous avez été justifiés au nom du Seigneur Jésus-Christ, et par l'Esprit de notre Dieu» (1 Corinthiens 6: 9-11)

11

NAAMAN ET LE CHEMIN VERS LA SANTE ET LA VIE: 03

CONFRONTER LES CHOIX

Quand Naaman se rendit compte que le roi d'Israël ne pouvait pas le guérir, il reçut une invitation à travers le roi d'Israël pour aller se faire guérir chez le prophète Elisée. La Bible dit:

> *« Lorsque Elisée, homme de Dieu, apprit que le roi d'Israël avait déchiré ses vêtements, il envoya dire au roi: Pourquoi as-tu déchiré tes vêtements? Laisse-le venir à moi, et il saura qu'il y a un prophète en Israël.» (2 Rois 5: 8)*

La tournure des évènements ne fut pas comme Naaman l'avait entrevu ou voulu. Il avait traité avec des rois et préférait traiter avec les rois. Ayant confronté le fait que le roi ne pouvait pas le guérir, il accepta plus ou moins malgré lui l'invitation du prophète à venir se faire guérir. Il partit donc avec ses chevaux et chariots et s'arrêta devant la porte de la maison d'Elisée. Le grand général se tenait par condescendance devant la porte de la maison du prophète. Lui, le grand général était là! Ses chevaux étaient là!! Ses chariots étaient là!!! Sa grande suite était là avec lui!!! La maison du prophète devant laquelle il se tenait n'avait rien d'impressionnant. Il se sentait rabaissé et était probablement en train de dire en lui-même: «Que cet homme sorte vite et me guérisse afin que je m'éloigne rapidement d'un tel environnement humiliant! Il était certainement très grand à ses propres yeux.

Le prophète Elisée savait que Naaman avait la lèpre physique de la lèpre et la lèpre spirituelle de l'orgueil. Il savait que si la lèpre physique de Naaman était soignée sans que sa lèpre spirituelle soit aussi soignée, ce ne serait qu'une solution partielle. L'orgueil est le pire des péchés. C'est le péché qui a créé le royaume de Satan. Le diable n'était pas tombé à l'autel de l'amour de l'argent! Le diable n'avait pas été épris de la beauté et du charme d'une femme!! Le diable chuta de la position d'ange de lumière à celle de roi des ténèbres à cause de l'orgueil manifesté par l'exaltation de soi. La Bible, parlant de lui, présente les choses comme suit:

« Fils de l'homme, prononce une complainte sur le roi de Tyr! Tu lui diras: Ainsi parle le Seigneur, l'Eternel: Tu mettais le sceau à la perfection, tu étais plein de sagesse, parfait en beauté. Tu étais en Eden, le jardin de Dieu; tu étais couvert de toutes espèces de pierres précieuses, de sardoine, de topaze, de diamant, de chrysolithe, d'onyx, de jaspe, de saphir, d'escarboucle, d'émeraude et d'or; tes tambourins et tes flûtes étaient à ton service, préparés pour le jour où tu fus créé. Tu étais un chérubin protecteur, aux ailes déployées; je t'avais placé et tu étais sur la sainte montagne de Dieu; tu marchais au milieu des pierres étincelantes. Tu as été intègre dans tes voies, depuis le jour où tu fus créé jusqu'à celui où l'iniquité a été trouvée chez toi. Par la grandeur de ton commerce tu as été rempli de violence, et tu as péché; je te préci-

pite de la montagne de Dieu, et je te fais disparaître, chérubin protecteur, du milieu des pierres étincelantes. Ton cœur s'est élevé à cause de ta beauté, tu as corrompu ta sagesse par ton éclat, je te jette par terre, je te livre en spectacle aux rois…Tous ceux qui te connaissent parmi les peuples sont dans la stupeur à cause de toi; Tu es réduit à rien, tu ne seras plus à jamais!» (Ezéchiel 28: 12-19)

Le diable fut déchu à cause de l'orgueil. Son cœur devint orgueilleux à cause de sa beauté et de sa sagesse. Dieu lui avait donné les deux afin qu'il les utilise pour exalter le Tout-Puissant, mais il les utilisa plutôt pour s'exalter lui-même. Dieu t'a beaucoup donné afin que tu utilises ces choses pour L'exalter. Malheureusement, tu es en train de les utiliser pour t'exalter toi-même. C'est de l'orgueil et c'est horrible.

Le diable n'était même pas satisfait de la grande exaltation que Dieu lui avait conférée. Il en voulait davantage. Il avait un œil sur le trône de Dieu. La Bible dit:

«Te voilà tombé du ciel, astre brillant, fils de l'aurore! Tu es abattu à terre, toi le vainqueur des nations! Tu disais en ton cœur: Je monterai au ciel, j'élèverai mon trône au-dessus des étoiles de Dieu; je m'assiérai sur la montagne de l'assemblée, à l'extrémité du septentrion; je monterai sur le sommet des nues, je serai semblable au Très-Haut» (Esaïe 14: 12-14).

Le diable avait dit en son cœur; «Je monterai au ciel…j'élèverai mon trône…je m'assiérai sur la montagne…». Il s'était établi lui-même au centre.! Il était son propre dieu.

Les orgueilleux de cœur s'établissent aussi comme centres et veulent que Dieu, l'homme et les choses tournent autour d'eux pour les admirer, les adorer, les vénérer, pour les servir et servir leurs intérêts!!! Est-ce là une description de ton cœur? Est-ce là une description de ta vie? Repens-toi immédiatement, si tu veux qu'il y ait de l'espoir pour toi. Dans un sens, tu es en train de dire à Dieu: «Prosterne-toi et adore-moi; prosterne-toi et adore ma beauté; prosterne-toi et adore mes diplômes; prosterne-toi et adore ma richesse; prosterne-toi et adore ma réputation, ma célébrité, mon honneur. Prosterne-toi et adore ce que j'ai déjà fait de moi-même et sers-moi en faisant usage de Ta puissance pour ajouter à ce que je suis déjà, afin que j'atteigne de nouveaux degrés d'accomplissements et que j'aie de quoi me vanter davantage.

Voilà un peu de ce qu'est l'orgueil et ce qu'il fait. Voilà ce qu'était Naaman, et c'est pourquoi c'était indispensable que le prophète traite son cœur avant de traiter son corps. Le prophète décida de traiter son cœur orgueilleux avant de traiter son corps malade. Il décida de traiter le péché qui le mènerait vers la seconde mort avant de traiter la maladie qui l'emmènerait bientôt vers la tombe.

Le premier coup que le prophète porta sur l'orgueil de Naaman fut de ne pas sortir personnellement pour le recevoir. Naaman avait l'habitude d'être reçu par des dignitaires. Son propre roi, le roi d'Aram, l'avait reçu. Le roi d'Israël l'avait reçu, et maintenant, il se trouvait devant la maison d'un simple prophète qui n'était pas sorti personnellement pour le recevoir, mais avait plutôt envoyé un messager vers lui. Naaman avait du se sentir terriblement humilié. Il voulait de l'honneur et cela lui avait été refusé.

Le deuxième coup qui frappa l'orgueil de Naaman fut la prescription que le prophète lui avait donnée par son serviteur:

> *«Va, et lave-toi sept fois dans le Jourdain; ta chair redeviendra saine, et tu seras pur.» (2 Rois 5: 10)*

Ce deuxième coup était de trop pour l'orgueil de Naaaman. Naaman avait jusque là caché sa lèpre de la plupart des gens. Pour montrer son importance, Naaman avait à sa suite une grande délégation venant de Syrie. C'est ce qui explique la présence des chevaux et des chariots qui étaient avec lui. La prescription du prophète impliquait qu'avant qu'il ne fût guéri, Naaman devait exposer sa lèpre aux yeux de la multitude des gens de son entourage, et peut-être à d'autres personnes qui se trouveraient au Jourdain. C'était une pilule trop amère à avaler pour Naaaman, et il réagit. Il s'en alla furieux en disant:

> *« Voici, je me disais: Il sortira vers moi, il se présentera lui-même, il invoquera le nom de l'Eternel, son Dieu, il agitera sa main sur la place et guérira le lépreux.» (2 Rois 5:11).*

Il guérira le lépreux
Il agitera sa main sur la plpplace
Il se présentera lui-même (devant moi)
Il invoquera le nom de l'Eternel, son Dieu
Il sortira vers moi

Naaman était en train de tenter de jouer le rôle de malade et de docteur en même temps. Il avait sa propre méthode par laquelle la guérison devait lui être administrée. Sa méthode avait cinq étapes:

Cette procédure de guérison à cinq étapes était une origi-
nalité de Naaman. Elle préservait Naaman d'exposer sa
lèpre, et donnait à Naaman l'honneur d'amener le
prophète à sortir et à se présenter devant lui. Naaman
avait eu le champ libre tout au long de sa vie, et il pensait
que ce serait pareil cette fois-ci avec le prophète et avec
Dieu. Naaman avait jusque là commandé les gens. Il
pensait que du fait qu'il était commandant de l'armée de
Syrie, il était le commandant de tout le monde sur terre et
le commandant du Dieu du ciel. Naaman avait imposé sa
volonté sur tout le monde, et son orgueil l'amena à penser
que le prophète et Dieu Lui-même étaient sous son
commandement. Il se trompait grandement. Quand les
choses ne marchèrent pas selon ses attentes, il décida de
s'en aller dans une ardente colère.

Est-ce la même chose avec toi? Tu veux le salut de Dieu,
mais tu ne le veux pas par la méthode de Dieu. Tu as
façonné ton propre plan de salut qui te permettra d'aller
sur ta propre voie et de faire tes propres choses selon ta
volonté, avec qui tu veux, où tu veux, quand tu veux, pour
la durée que tu veux. Eh bien, cela te donnera ta propre
marque de salut, et ce salut qui t'est propre te préservera
du salut de Dieu et te fera atterrir dans l'étang de feu où tu
brûleras éternellement sans être consumé. Ceux qui
viennent à Dieu ayant un plan personnel de salut qu'ils
veulent que Dieu approuve, adopte et applique, se
rendront compte qu'ils retourneront sans être sauvés, et
attendront le jugement de Dieu et le lac de feu où ils
seront jetés à jamais.

Ceux qui viennent à Jésus pour Son salut doivent mettre
de côté leurs propres volontés, plans, méthodes, etc. Ils
doivent prendre Sa volonté, Ses plans et Ses méthodes de

salut et de toute autre chose, afin de recevoir Son salut et de marcher avec Lui jusqu'à la fin, afin de recevoir Son salut final. La Bible rapporte l'histoire suivante d'une situation vécue:

> « Comme Jésus se mettait en chemin, un homme accourut, et, se jetant à genoux devant lui: Bon maître, lui demanda-t-il, que dois-je faire pour hériter la vie éternelle? Jésus lui dit: Pourquoi m'appelles-tu bon? Il n'y a de bon que Dieu seul. Tu connais les commandements: Tu ne commettras point d'adultère; tu ne tueras point; tu ne déroberas point, tu ne diras point de faux témoignage; tu ne feras de tort à personne; honore ton père et ta mère. Il lui répondit: Maître j'ai observé toutes ces choses dès ma jeunesse. Jésus, l'ayant regardé, l'aima, et lui dit: Il te manque une chose; va, vends tout ce que tu as, donne-le aux pauvres, et tu auras un trésor dans le ciel. Puis viens, et suis-moi. Mais, affligé de cette parole, cet homme s'en alla tout triste; car il avait de grands biens. Jésus, regardant autour de lui, dit à ses disciples: Qu'il sera difficile à ceux qui ont des richesses d'entrer dans le royaume de Dieu.» (Marc 10: 17-23).

Cet homme était venu à Jésus ayant ses propres idées au sujet du salut. Il voulait ajouter la vie éternelle à sa richesse terrestre. Le Seigneur Jésus demanda qu'il renonce entièrement à sa richesse terrestre pour avoir la richesse éternelle et la vie éternelle. Il refusa et s'en alla pour mourir un jour, perdre sa richesse terrestre et périr éternellement.

Tous ceux qui viennent au Seigneur Jésus doivent accepter toute Sa parole sans quoi, ils ne recevront rien de Lui!!!

Pour justifier sa colère devant l'ordre du prophète qui lui demandait d'exposer sa lèpre avant d'être guéri, Naaman s'engagea dans une sorte d'hydrographie vide. Naaman connaissait la géographie. Il savait que le fleuve Jourdain où le prophète l'envoyait se laver pour être pur était un fleuve boueux. Il savait aussi que l'Abana et le Parpar, des fleuves de Damas, étaient relativement plus propres. Il se demanda pourquoi il ne se laverait pas dans ces fleuves pour être purifié. Naaman était en train de faire une étude comparative en hydrologie. Beaucoup de gens font la même chose, et demeurent ainsi dans les ténèbres et continuent à être perdus. De telles personnes comparent une religion avec une autre. Elles discutent sur les contradictions apparentes de la Bible. Elles avancent des arguments, l'un après l'autre, afin de continuer dans le péché ou de cacher leur péché. Elles ne sont pas préoccupées par le problème central: Comment puis-je être délivré de ma lèpre de péché? Comment puis-je recevoir le pardon de Dieu pour tous mes péchés? Comment puis-je recevoir la vie éternelle?

Après l'étude comparative de Naaman en hydrologie, il s'en alla furieux. Ce fut un moment triste. Son orgueil semblait avoir eu le dessus. Il restait cependant une lueur d'espoir. Le prophète avait du prier pour lui afin que son orgueil ne domine pas sur lui. Les serviteurs de Naaman étaient moins orgueilleux et par conséquent, voyaient les choses plus clairement que leur maître. L'orgueil a une façon de rendre les gens insensés. Quelqu'un a dit que l'orgueil et la folie sont les fruits d'un même arbre. Naaman avait conquis des nations l'une après l'autre, mais il lui manquait la puissance de se maîtriser lui-même. Son ego était non conquis et menaçait de lui faire perdre toutes choses. Les serviteurs de Naaman s'approchèrent de lui et dirent: «Mon père, si le prophète t'eût demandé quelque chose de difficile, ne l'aurais-tu pas fait? Comment plus dois-tu faire ce qu'il t'a dit: Lave-toi, et tu seras pur!» Les serviteurs gagnèrent la partie! Naaman fut conquis. Il retrouva son bon sens. Il choisit d'exposer sa lèpre et d'en être guéri, plutôt que de la cacher, rentrer et périr avec elle.

La Bible dit:

> *«Celui qui cache ses transgressions ne prospère point; mais celui qui les avoue et les délaisse obtient miséricorde» (Proverbes 28:13).*

Naaman était prêt à exposer sa lèpre pour en être guéri. Ce fut le début d'un nouveau jour.

12

NAAMAN ET LE CHEMIN VERS LA SANTE ET LA VIE: 04

L'INCONTOURNABLE FLEUVÉ JOURDAIN - 01

Nous avons dit que Naaman avait la lèpre du péché et la lèpre de la lèpre. Nous avons dit que Naaman irait en enfer, dans le lac éternel de feu à cause de sa lèpre du péché. Nous avons aussi dit que Naaman allait mourir physiquement si sa lèpre physique n'était pas guérie. Pourquoi le prophète voulait-il que Naaman aille se plonger dans le Jourdain pour être pur? La réponse est que le fleuve Jourdain symbolise le sang du Seigneur Jésus.

Chaque être humain a violé la loi de Dieu. Certains ont d'autres dieux outre le Dieu vivant. Leur dieu pourrait être une idole, une sculpture de pierre, une sculpture de bois, le succès ou la richesse. Le pécheur a quelque chose ou quelqu'un qui occupe la première place dans sa vie avant le Dieu vivant ou à côté du Dieu vivant.

Cependant, l'Eternel Dieu dit:

«Tu n'auras pas d'autres dieux devant ma face» (Exode 20: 3)

N'as-tu pas d'autres dieux outre le Dieu vivant? Si c'est le cas, tu as violé la loi de Dieu. Tu es coupable. Tu seras puni, et en guise de punition, tu seras jeté dans l'étang de feu où tu brûleras à jamais.

La loi de Dieu dit aussi:

> *«Tu ne te feras point d'image taillée, ni de représentation quel-conque des choses qui sont en haut dans les cieux, qui sont en bas sur la terre, et qui sont dans les eaux plus bas que la terre. Tu ne te prosterneras point devant elles, et tu ne les serviras point.» (Exode 20: 4-5)*

La loi de Dieu dit aussi:

> *« Tu ne prendras point le nom de l'Eternel ton Dieu en vain, car l'Eternel ne laissera point impuni celui qui prendra son nom en vain.» (Exode 20: 7)*

Peut-être tu jures faussement. Il se peut que tu dises quel-quefois «Mon Dieu...» quand tu es choqué. Tu as fait des vœux à Dieu que tu n'as pas honorés. Tu es coupable et Dieu doit te punir pour avoir violé Sa loi. Il te punira en te jetant dans l'étang de feu. Ce sera là ta juste punition pour avoir violé Sa loi.

La loi du Seigneur dit:

> *« Souviens-toi du jour du repos pour le sanctifier. Tu travailleras six jours, et tu feras tout ton ouvrage. Mais le septième jour est le jour du repos de l'Eternel, ton Dieu: tu ne feras aucun ouvrage...» (Exode 20: 8-10)*

Un septième de ton temps, un jour sur sept appartient à Dieu et doit être utilisé exclusivement pour lui. Tu ne donnes pas un jour sur sept à Dieu. Tu ne lui donnes pas un septième de chaque jour, c'est-à-dire un septième de vingt-quatre heures. Ceci équivaut à 3,428 heures chaque jour ou 24 heures par semaine. Tu as toujours volé le temps de Dieu en l'investissant sur toi-même. Tu n'as pas observé le sabbat, et pour cette raison, tu es qualifié pour l'enfer, et tu y seras envoyé le jour du Jugement.

La loi de Dieu dit:

> *«Honore ton père et ta mère, afin que tes jours se prolongent dans le pays que l'Eternel ton Dieu te donne.» (Exode 20:12).*

Tu n'as pas honoré ton père. Tu n'as pas honoré ta mère. Tu leur as désobéi. Tu leur as volé des choses. Tu ne les as pas servis. Tu leur as menti et menti. Ce faisant, tu as diminué ton espérance de vie. Ce n'est pas seulement à tes parents que tu as désobéi. Tu as désobéi à la loi de Dieu. Tu es sous le jugement de Dieu, et tu seras jeté dans le lac de feu en ce jour, et tu y seras pour toujours. C'est ce que tu mérites et c'est ce que tu obtiendras.

La loi de Dieu dit: « Tu ne tueras point.» Tu pourrais dire que tu n'as jamais tué quelqu'un. Mais voyons les choses de plus près. As-tu jamais commis un avortement? As-tu jamais financé un avortement? As-tu jamais encouragé un avortement? Si ta réponse est «oui» à une quelconque de ces questions, alors tu as commis le meurtre, tu as tué. Bien plus, le Seigneur Jésus dit:

> *«Vous avez entendu qu'il a été dit aux anciens: tu ne tueras point, celui qui tuera mérite d'être puni par les juges. Mais moi, je vous*

dis que quiconque se met en colère contre son frère mérite d'être puni par les juges; que celui qui dira à son frère Raca! mérite d'être puni par le sanhédrin, et que celui qui dira: Insensé! mérite d'être puni par le feu de la géhenne.» (Matthieu 5:21-22)

L'Apôtre Jean écrit:

> *«Quiconque hait son frère est un meurtrier, et vous savez qu'aucun meurtrier n'a la vie éternelle demeurant en lui.»* (1 Jean 5:15)

Si tu hais une personne quelconque, tu es un meurtrier et tu attends juste d'être jeté dans le lac de feu où tu brûleras à jamais sans être consumé.

La loi de Dieu dit: "Tu ne commettras point d'adultère". As-tu jamais commis l'adultère ou la fornication en pensées, en paroles ou en actes? Le Seigneur Jésus dit:

> *«Vous avez appris qu'il a été dit: «Tu ne commettras point d'adultère. Mais moi, je vous dis que quiconque regarde une femme pour la convoiter a déjà commis un adultère avec elle dans son cœur. Si ton œil droit est pour toi une occasion de chute, arrache-le et jette-le loin de toi; car il est avantageux pour toi qu'un seul de tes membres périsse, et que ton corps entier n'aille pas dans la géhenne.»* (Matthieu 5: 27-29)

Par tes actes, tes paroles, tes regards et tes pensées sexuels immoraux, tu as violé la loi de Dieu, et tu seras jeté dans l'étang de feu pour cela. Le lac de feu sera ta demeure éternelle à cause de ton immoralité sexuelle.

La loi de Dieu dit:

"Tu ne déroberas point". As-tu jamais volé quelque chose d'un homme? Si tu as jamais volé, alors tu es un voleur. En plus, tu as du voler de Dieu. L'Eternel Dieu Tout-Puissant demande: «Un homme vole t-il Dieu? Car vous me volez, et vous dites: en quoi t'avons-nous volé ? Dans les dîmes et les offrandes. Vous êtes frappés par la malédiction, et vous me volez, la nation toute entière.» (Malachie 3: 8-9)

Tu as volé de l'homme et tu as volé de Dieu. Au jour du Jugement Dieu jettera le voleur que tu as été dans le lac de feu, et ce ne sera qu'une juste récompense pour un voleur. C'est ce que tu auras mérité.

La loi de Dieu dit:

« Tu ne porteras point de faux témoignage contre ton prochain.» (Exode 20:16)

As-tu jamais menti? C'était là un faux témoignage. As-tu jamais retenu la vérité par un silence mensonger? As-tu menti en gardant le silence, permettant ainsi que le mal continue? Si tu as commis un mensonge ou tromperie ou fausseté quelconque de ce genre, sache avec certitude que tous les menteurs, toi compris, seront jugés et jetés dans l'étang de feu. La Bible dit que tous les menteurs seront en enfer. Etant donné que tu as dit un ou plusieurs mensonges, tu y seras sûrement (Apocalypse 21: 8).

Finalement, la loi de Dieu dit:

«Tu ne convoiteras point...» (Exode 20: 17).

Convoites-tu la maison, la femme, les enfants, les servi-teurs, les animaux, la voiture ou toute autre chose appartenant à ton prochain? Désires-tu que quelqu'un ou quelque chose qui appartient à ton prochain devienne tien? Convoites-tu ou désires-tu une autre maison, un autre terrain, une autre voiture, un autre costume, une autre paire de chaussures, une autre chemise, une autre robe, un autre réfrigérateur, une autre cuisinière, un autre congélateur, etc., pour toi-même, alors que ton prochain n'a même pas ce que tu possèdes déjà? C'est de la cupidité. C'est de la convoitise, et Dieu enverra tous les cupides dans le lac de feu pour toujours.

Naaman était qualifié pour aller en enfer. Toi-aussi, tu es qualifié. Tu pourrais dire: « Je n'ai pas violé toutes les lois de Dieu. Je n'en ai violé que quelques-unes. En fait, je n'ai violé qu'une seule. Eh bien, pour avoir violé une loi, tu iras en enfer avec la personne qui a violé toutes les lois. La Bible dit:

> *«Car quiconque observe toute la loi, mais pèche contre un seul commandement, devient coupable de tous. En effet, celui qui a dit: Tu ne commettras point d'adultère, a aussi dit: Tu ne tueras point. Or si tu ne commets point d'adultère, mais que tu commettes un meurtre, tu deviens transgresseur de la loi.»* (Jacques 2:10-11).

Tu es pleinement qualifié pour aller en enfer!!! Le jour du Jugement arrive et tu recevras bientôt ta juste punition pleinement méritée

L'INCONTOURNABLE FLEUVE JOURDAIN - 02

Tous ont péché. Tous les êtres humains ont violé la loi de Dieu. Tous les êtres humains, sans exception, ont péché et sont privés de la gloire de Dieu. Tous les êtres humains sont qualifiés à passer l'éternité dans l'étang de feu. Tu es qualifié à passer l'éternité dans le lac de feu.

Dieu avait vu que tous les êtres humains iront dans le lac de feu parce qu'ils ont violé Sa loi, et par amour pour les êtres humains, Dieu décida de sauver l'homme de l'enfer qu'il méritait à juste titre. Dieu décida de faire quelque chose pour toi en tant qu'individu afin de te sauver de la damnation dans le lac de feu au jour du jugement.

Dieu décida d'envoyer Son Fils Jésus-Christ du ciel pour te sauver. La Bible dit:

> *«Car Dieu a tant aimé le monde qu'il a donné son fils unique, afin que quiconque croit en lui, ne périsse point, mais qu'il ait la vie éternelle. Dieu, en effet, n'a pas envoyé son Fils dans le monde pour qu'il juge le monde, mais pour que le monde soit sauvé par lui. Celui qui croit en lui n'est point jugé; mais celui qui ne croit pas est déjà jugé, parce qu'il n'a pas cru au nom du Fils unique de Dieu.» (Jean 3:16-18)*

Jésus-Christ est venu du ciel, et est devenu Homme. Bien qu'Il fût parfaitement sans péché, Dieu mit sur Lui tous les péchés de tous les êtres humains de l'éternité passée jusqu'à l'éternité future. Jésus-Christ a porté tous les péchés de chaque être humain dans le monde. Jésus-Christ a porté tous tes péchés. Jésus-Christ a porté tous tes péchés et est mort à ta place. Jésus fut crucifié sur la croix à ta place. C'est toi qui as péché et c'est toi qui aurais dû subir la punition à cause de tes péchés. Jésus-Christ, par amour pour toi, a pris sur Lui tes péchés et Il a aussi pris sur Lui ta punition. Jean Baptiste, voyant le Seigneur Jésus, dit de Lui:

«Voici l'agneau de Dieu, qui ôte le péché du monde!» (Jean 1: 29)

Sans effusion de sang, il n'y a pas de pardon de péché. La Bible dit:

«Et presque tout, d'après la loi, est purifié par le sang, et sans effusion de sang il n'y a pas de pardon » (Hébreux 9: 22)

Le Seigneur Jésus n'a pas versé le sang d'un bouc, d'une vache, d'un bœuf ou d'un animal quelconque. Il a versé Son propre sang sans péché, et Son sang sans péché est accepté par Dieu pour la purification de tous les péchés de chaque être humain. La Bible dit:

"Et comme il est réservé aux hommes de mourir une seule fois, après quoi vient le jugement, de même Christ, qui s'est offert une seule fois pour porter les péchés de plusieurs, apparaîtra sans péché une seconde fois à ceux qui l'attendent pour leur salut...» *(Hébreux 9: 27-28)*

Le Seigneur Jésus est le Sauveur de tout péché. Il est le Sauveur du lac de feu. Deux personnes pourraient commettre chacune 10.000 péchés et être qualifiées pour l'endroit le plus chaud en enfer. Si l'une d'elles se repent de ses péchés, se tourne vers le Seigneur Jésus et demande au Seigneur Jésus d'effacer tous ses péchés dans le sang qu'Il a versé pour les pécheurs, le Seigneur Jésus effacera tous ses 10.000 péchés et il se tiendra immédiatement devant Dieu comme quelqu'un qui n'a jamais péché. Il sera ainsi qualifié pour aller au ciel et non en enfer à cause du sang du Seigneur Jésus qui l'a purifié de tous ses péchés.

L'autre personne qui a les 10.000 péchés et qui ne s'est pas tournée pas vers le Seigneur Jésus, restera avec ses péchés, et au jour du jugement, cette personne sera envoyée dans le lac de feu à cause de ses péchés.

Voyez-vous la puissance du sang du Seigneur Jésus? Ce sang est très puissant! Il est très puissant!! Il est très puissant!!! Jésus est descendu du ciel pour mourir sur la croix, et a ainsi versé Son sang puissant pour la purification des péchés de tout le monde. Si chaque pécheur dans le monde se tournait vers Jésus-Christ pour avoir la purification dans Son sang, tous seraient purifiés. Le sang de Jésus fut versé pour la purification de chaque pécheur dans le monde. Le sang de Jésus-Christ fut versé pour te purifier en tant qu'individu.

C'est à ce niveau qu'intervient le fleuve Jourdain. Les eaux du fleuve Jourdain représentent le sang du Seigneur Jésus. Naaman avait des péchés et il avait la lèpre. Naaman voulait être guéri de sa lèpre, mais le prophète Elisée voyait au-delà. Le prophète vit qu'il avait besoin d'être purifié de ses péchés aussi bien que de sa lèpre. Si le prophète avait fait ce que demandait Naaman, et avait juste posé sa main sur lui en priant pour sa guérison, il serait retourné étant guéri de sa lèpre, mais portant toujours ses péchés qui l'auraient envoyé en enfer le jour du Jugement. Naaman avait besoin d'être purifié de son péché. Il avait besoin des eaux du Jourdain (représentant le sang de Jésus-Christ). Le fleuve Jourdain était indispensable pour Naaman. Le sang de Jésus-Christ est indispensable pour toi. Le Seigneur Jésus-Christ est indispensable pour toi. Si tu ne veux pas être envoyé en enfer le jour du Jugement, tu dois venir à Jésus-Christ pour qu'Il lave tous tes péchés dans Son sang. Tu ne viens pas à Christ pour faire une faveur à qui que ce soit. Tu viens à Christ pour ton propre besoin. Tu as péché. Tu as violé la loi de Dieu. Le jugement de Dieu est la récompense pour tes péchés. Tu peux rester avec tes péchés et aller bientôt en enfer, ou alors tu peux courir vers le Seigneur Jésus et être purifié et pardonné. Le choix est tien, ainsi que les conséquences. Tu ne peux pas être neutre.

13

NAAMAN ET LE CHEMIN VERS LA SANTE ET LA VIE: 05

LES SEPT PLONGEES DANS LE JOURDAIN

Ce n'était pas par hasard qu'il fut demandé à Naaman d'aller se plonger sept fois dans le Jourdain afin d'être purifié. Ces sept plongées représentent sept aspects de l'Evangile auxquels Naaman devait croire dans son cœur et en faire une expérience de vie.

Par la première plongée, il devait reconnaître qu'il est un pécheur. Il devait reconnaître qu'il a péché premièrement contre Dieu. Violer la loi de Dieu, c'est comme transpercer le cœur de Dieu avec un couteau. Si tu penses à un « gros» péché comme étant une épée transperçant le cœur de Dieu et à un «petit» péché comme étant une aiguille transperçant le cœur de Dieu, chaque péché, quel qu'il soit, cause un saignement de cœur à Dieu. La Bible dit:

«L'Eternel vit que la méchanceté des hommes était grande sur la terre, et que toutes les pensées de leur cœur se portaient chaque jour uniquement vers le mal. L'Eternel se repentit d'avoir fait l'homme sur la terre, et il fut affligé en son cœur.» (Genèse 6: 5-6)

Le péché en acte, le péché en parole et le péché en pensée, sont tous des couteaux dans le cœur de Dieu. Au cours de la première plongée, Naaman devait, non seulement confronter le fait que tout péché et chaque acte de péché est une violation de la loi de Dieu, mais aussi que tout péché et chaque acte de péché transperce le cœur de Dieu. Si jusque là il avait pensé au péché avec légèreté, il ne pouvait plus y penser légèrement. Au cours de cette première plongée, le Saint-Esprit devait le convaincre en lui disant: «Naman, tu as passé toute ta vie à transpercer le cœur de Dieu par tes actes, par tes paroles et par tes pensées. Oui, même avec tes désirs, tes motifs, tes regards, tes attitudes, tes valeurs et tes goûts.» La profondeur de l'état de péché du cœur de l'homme est énorme. L'étendue jusqu'où l'homme a péché contre Dieu est si vaste et si profond que seul un insensé peut prendre cela à la légère. Aussi tout péché commis est tout d'abord contre Dieu. Quand le roi David commit l'adultère avec la femme d'Urie et que ses yeux s'ouvrirent pour qu'il vît son péché, il dit à Dieu:

> *«Car je reconnais mes transgressions, et mon péché est constamment devant moi. J'ai péché contre toi seul, et j'ai fait ce qui est mal à tes yeux, en sorte que tu seras juste dans ta sentence, sans reproche dans ton jugement.» (Psaumes 51: 5-6)*

Vois-tu ce que David dit? Contre Toi (Dieu) et Toi seul, j'ai péché, et j'ai fait ce qui est mal à tes yeux, en sorte que Tu seras juste dans ta sentence, sans reproche dans ton jugement.»

C'est premièrement contre Dieu que le péché est commis. Ce n'est qu'en second lieu qu'il est commis contre l'homme. Dans la première plongée, Naaman devait se concentrer sur ce que son péché avait fait contre Dieu et Dieu seul. Si toi-aussi, comme Naaman, veux être purifié, tu devras voir ce que ton péché a fait au cœur de Dieu, à l'être de Dieu et aux desseins de Dieu! As-tu vu? As-tu vu? Si tu n'as pas vu, crie à Dieu pour qu'Il te montre la gravité de ton péché devant Lui. Si tu ne vois pas la gravité de tes péchés devant Dieu, tu ne verras pas le fait que tu mérites le jugement de Dieu pour tes péchés .Si tu ne vois pas la gravité de tes péchés devant Dieu, tu ne verras pas l'indispensable repentance authentique envers Dieu. Combien de temps avait duré la première plongée de Naaman? Nous ne le savons pas. Mais pour toi, cela doit durer jusqu'à ce que tu voies que tu as fait un si grand mal à Dieu, qu'aucune punition appliquée à toi ne peut être sévère. Naaman sortit de la première plongée ayant encore sur lui sa lèpre intacte à cent pour cent. S'il avait pensé qu'un septième de sa lèpre disparaitrait après l'exécution d'un septième des sept plongées ordonnées, il s'était trompé.

Au cours de la deuxième plongée, il devait regretter profondément, totalement tous les péchés de sa vie et chaque péché de sa vie. La Bible dit:

> *« En effet, la tristesse selon Dieu produit une repentance à salut dont on ne se repent jamais, tandis que la tristesse du monde produit la mort»* (2 Corinthiens 7:10)

Quand Judas Iscariot, l'un des douze disciples du Seigneur Jésus fit une repentance mondaine, cela conduisit à la mort. La Bible dit:

> *«Alors Judas, qui l'avait livré, voyant qu'il était condamné, se repentit, et rapporta les trente pièces d'argent aux principaux sacrificateurs et aux anciens, en disant: j'ai péché, en livrant le sang innocent. Ils répondirent: que nous importe? Cela te regarde. Judas jeta les pièces d'argent dans le temple, se retira et alla se pendre.» (Matthieu 27: 3-5)*

Judas avait accompli une repentance mondaine. Il avait éprouvé du remords. Il n'avait pas vu le plein spectre de son péché qui incluait une mauvaise attitude envers Dieu, une mauvaise attitude envers le Seigneur Jésus, une mauvaise attitude envers les autres disciples, une mauvaise attitude envers l'Evangile, le péché de tous ses autres vols, etc.

Il vit juste le mal d'un acte. Judas n'avait pas vu qu'il avait péché contre Dieu et contre Jésus. Il se tourna uniquement vers l'homme, -vers les principaux sacrificateurs et les anciens. Lorsqu'ils n'acceptèrent point son remords, il s'en alla et commit un plus grand péché: le suicide, ce qui était l'évidence qu'il n'avait jamais véritablement vu le péché pour ce qu'il est, qu'il n'avait jamais haï le péché et ne s'était jamais séparé du péché. Ne te comporte pas comme Judas. Regarde ton péché à la lumière de ce que tu as fait à Dieu; à la lumière de ce que tu Lui as fait. Crie à Lui. Il se pourrait que tu reconnaisses ton péché dans ta tête, c'est-à-dire mentalement, mais sans aucun profond regret. Si telle est ta condition, crie à Dieu pour qu'Il te fasse don de la repentance selon Dieu. Crie à Dieu pour qu'Il te donne le pouvoir de regretter profondément ce que tu as fait contre Lui. Si tu as l'intention de continuer dans tes péchés et dans tes voies pécheresses, tu ne trouveras aucun regret profond dans ton cœur pour tes péchés.

Comment Dieu peut-Il te donner le pouvoir de regretter le péché que tu as l'intention de continuer à commettre? Si tu regrettes profondément ce que le péché à fait à Dieu et contre Dieu, ta deuxième plongée a étéun succès, tu peux donc passer à la troisième. Il est évident qu'après deux plongées, la lèpre de Naaman demeura sur lui à cent pour cent. Il continua vers la troisième plongée.

Dans la troisième plongée, Naaman devait confesser tous ses péchés à Dieu. Dans la troisième plongée, quiconque ne veut pas aller en enfer confesse tous ses péchés et toutes ses tendances pécheresses à Dieu. Confesser tes péchés, c'est dans un sens tomber d'accord avec Dieu que tu es ce que tu es. La Bible dit:

> *«Celui qui cache ses transgressions ne prospère point. Mais celui qui les avoue et les délaisse obtient miséricorde.» (Proverbes 28: 13)*

Pour t'aider à voir clairement tes péchés et à les confesser un à un à Dieu, procure-toi un cahier afin de les mettre par écrit. Il y a sept F (en anglais).

LE PREMIER «F» (FORTUNE): L'ARGENT.

Confesse tous les péchés que tu as commis dans le domaine de l'argent, des possessions, y inclus tous les vols, toutes les malhonnêtetés, toutes les fraudes, toutes les tricheries, etc. Demande à Dieu de ramener à ta mémoire tes péchés du passé. Présente-les tous à Dieu.

LE DEUXIÈME «F» (FEMALE OR MALE): LE SEXE OPPOSÉ.

Dans ce groupe, écris et présente à Dieu toutes les immoralités sexuelles de ta vie, l'une après l'autre, y compris toutes les fornications en actes, en paroles et en pensées Inclus-y tout ce qui est livres, photos, magazines, films, télévision, etc., pornographiques. Y compris toutes les masturbations, tous les touchers immoraux, les caresses immorales. Ajoutes-y toutes les lettres immorales, les appels téléphoniques immoraux, etc. N'omets rien. Ne t'empresse pas de finir. Prends ton temps. Dieu a toutes choses dans Ses registres pendant que tu es en train de les Lui confesser. Tu ne peux pas Le tromper. Si tu dissimules un péché quelconque, tu ne seras pas pardonné. Si cela prend des jours, qu'il en soit ainsi. L'enjeu, c'est là où tu passeras l'éternité.

LE TROISIÈME «F» (FAME): LA CÉLÉBRITÉ

Quels péchés as-tu commis dans l'effort de t'élever et de renverser les autres? Dans la poursuite de la célébrité, les gens mentent, trichent, exagèrent; sont jaloux, sont amers, orgueilleux; se sentent inférieurs et commettent plusieurs maux. C'est terrible. Tu dois exposer tout péché de ce genre à Dieu par écrit, l'un après l'autre, y compris tous les plans et ambitions qui ont pour but de t'exalter devant l'homme au lieu de servir l'homme; y inclus tous les plans d'utiliser Dieu pour tes intérêts personnels, au lieu de Le servir pour Sa propre gloire.

LE QUATRIÈME «F» (FOOD): LA NOURRITURE.

Confesse tous les actes de gloutonnerie de ta vie. Peut-être ton dieu, c'est ton ventre. Tu penses toujours à la nourriture. Tu es toujours en train de faire des plans autour de la nourriture. Tu es toujours en train de manger. Tu as peut-être mangé jusqu'à ce que tu tends vers l'obésité ou tu es déjà obèse. Toutes ces choses sont des péchés. Tu dois confesser chaque acte de gloutonnerie, même si tu es un glouton mince. Tu dois confesser chaque kilogramme de surpoids que tu as au-dessus de ton poids normal.

LE CINQUIÈME «F» (FALSEHOOD): LA FAUSSETÉ

La fausseté inclut le mensonge, la tromperie, la fausseté, l'hypocrisie, la ruse, la corruption, la dissimulation, l'exagération, la duplicité, le faux semblant, la malhonnêteté, la fraude, etc. Dieu t'aidera à ramener à ton souvenir toutes les faussetés de ta vie si tu es sérieux et si tu Lui donnes du temps en étant seul avec Lui. Si tu ne veux pas qu'Il traite profondément avec toi concernant les faussetés de ta vie, tu ferais mieux de tout laisser tomber. Dieu est vérité et en Lui il n'y a point de mensonge. A moins que tu ne veuilles qu'Il connaisse toutes les faussetés de ta vie, afin qu'Il les ôte toutes, comment peut-Il te sauver? Réfléchis et décide si oui ou non tu veux Lui confesser toutes les faussetés de ta vie.

LE SIXIÈME «F» (FAITHLESSNESS): LE MANQUE DE FIDÉLITÉ.

Tu connais tous les manques de fidélité dans ta vie. Tu as manqué de fidélité envers tes parents, tes enseignants, ton employeur, tes employés, tes enfants, tes co-ouvriers, etc.

Tu as abusé de leur confiance, tu as abusé de leur confidence. Tu as juste été une masse de tromperie. Tu as été, par-dessus tout infidèle envers ton Dieu. Ta vie entière a peut-être été un acte d'infidélité à Dieu et à l'homme. Tout doit être confessé.

LE SEPTIÈME «F» (FREEDOM): L'INDÉPENDANCE

Tu t'es libéré de l'autorité de quiconque. Tu as été indépendant. Tu as fait ce que tu voulais, quand tu voulais, comme tu voulais, avec qui tu voulais, pour aussi longtemps que tu le voulais. Dans un sens, tu as été indépendant de Dieu et de l'homme. Tu as été un petit diable, redevable à personne. C'est là un péché terrible qui doit être confessé à Dieu dans toute la diversité dans laquelle il s'est manifesté dans ta vie.

Naaman avait plongé la troisième fois, et toi-aussi tu dois plonger cette troisième fois. Le temps que mettra cette plongée dépendra du temps que tu y investiras chaque jour. Il serait préférable de cesser toute activité et d'aller dans un endroit retiré où tu peux être seul avec Dieu pour te concentrer sur ce problème extrêmement important de ta vie. Cela a pris à quelqu'un âgé de quarante-neuf ans deux semaines de travail, huit à dix heures par jour. Elle avait écrit tous ses péchés sur 120 pages. Je ne peux pas te dire combien de temps cela te prendra. Tu es en train de traiter avec Dieu et non avec moi. Quand tu auras tout confessé, Dieu, qui a enregistré tous tes péchés depuis que tu as commencé de les commettre te fera savoir si tout a été confessé.

Dans la quatrième plongée, Naaman devait confesser tous ses péchés et toutes ses voies pécheresses. C'est possible d'annoncer ses péchés à Dieu et de pleurer sur ses péchés, mais continuer pourtant à les commettre. Au moment où Naaman se plongeait la quatrième fois dans le fleuve Jourdain, il disait en lui-même: «Il faut que j'abandonne chaque péché que j'ai confessé à Dieu! Il faut que j'abandonne chaque péché que j'ai confessé à Dieu!! Il faut que j'abandonne chaque péché que j'ai confessé à Dieu!!!» Il devait abandonner tout, sans exception. Il devait abandonner tous les péchés qu'il n'aimait pas naturellement, et il devait abandonner tous les péchés qui naturellement lui procuraient du plaisir ou du gain. La même chose s'applique à toi. Tu dois abandonner tous tes péchés, chacun d'eux sans exception, avant que tu ne puisses être pardonné. Si tu considères tes péchés comme étant des couteaux dans le cœur de Dieu, t'attends-tu à ce que Dieu te pardonne si tu ôtes tous les couteaux que tu as mis dans son cœur, excepté un? Jusqu'à ce que quelqu'un ôte tous les couteaux qu'il a mis dans le cœur de Dieu, il demeure comme celui qui n'a ôté aucun couteau. Ainsi, pendant que Naaman se plongeait pour la quatrième fois dans l'eau, il décida d'abandonner tous ses péchés et toutes ses voies pécheresses immédiatement et à jamais. Il abandonna chaque acte de péché, chaque attitude pécheresse et chaque habitude pécheresse. Il abandonna tous les vols. Il abandonna tous les mensonges. Il abandonna toute immoralité sexuelle. Il abandonna l'adoration de tous les autres dieux. Il abandonna la sorcellerie. Il abandonna les fétiches. Il abandonna la magie. Il abandonna tout occultisme. Il abandonna tout ce qui n'est pas pour la gloire de Dieu. Il abandonna tout. En sortant des eaux du Jourdain pour la quatrième fois, il savait qu'il en avait fini avec le diable et avec le royaume du diable à jamais et à n'importe quel prix pour lui-même et pour quiconque était associé à lui. Tu dois aussi abandonner tous tes péchés et toutes tes voies pécheresses dans la totalité. Il ne peut y avoir de substitut à ceci. Dieu n'aura rien affaire avec les hypocrites. Un hypocrite est une personne qui pense que des mesures partielles peuvent se substituer aux pleines mesures devant Dieu. Un hypocrite est quelqu'un qui pense que l'abandon du péché à quatre-vingt dix-neuf pour cent peut être accepté par Dieu comme l'abandon du péché à cent pour cent. Ceux qui n'abandonnent aucun péché et ceux qui abandonnent quatre-vingt dix-neuf pour cent de leurs péchés sont tous pareils. Ils sont tous perdus. Souviens-toi que tu traites avec le Dieu du ciel, et avec Lui, c'est tout ou rien.

Dans la cinquième plongée, Naaman demanda que ses péchés soient pardonnés sur la base du mérite du sang du Seigneur Jésus versé à la croix pour ôter son péché. Nous avons vu que sans effusion de sang, il n'y a pas de pardon pour le péché. Nous avons aussi vu que seul le sang de Jésus peut effacer le péché d'un homme à la satisfaction de Dieu le Père. Si quelqu'un décide de confesser tous ses péchés et de les abandonner sans se tourner vers le Seigneur Jésus, il continuera à avoir des problèmes avec Dieu, car il aura traité avec ses péchés à son propre niveau, mais devant Dieu, ses péchés continueront à demeurer, étant donné que devant Dieu, il n'ya qu'une seule manière de traiter avec le péché: par le sang de Jésus. Quand une personne abandonne tous ses péchés et se tourne vers Dieu pour qu'Il lui pardonne sur la base du mérite du sang de Jésus, Dieu lui pardonne et oublie le fait qu'il avait jamais commis même un seul péché. Dieu pardonne et oublie les péchés que tu as jamais commis. Dieu dit dans Sa parole, la Bible: «Et je ne me souviendrai plus de leurs péchés ni de leurs iniquités» (Hébreux 10: 17). Il serait convenable pour le pécheur de lire maintenant à Dieu tous les péchés de sa vie tels qu'il les a écrits. Pendant qu'il les confesse l'un après l'autre, Dieu lui pardonne, efface les péchés de Son registre céleste et oublie que de tels péchés ont jamais été commis par cette personne. La personne se tient maintenant devant Dieu comme si elle n'avait jamais péché. C'est cela la puissance du sang de Christ. C'est cela la puissance de l'amour et du pardon de Dieu. Naaman est pardonné. Le passé de Naaman a été traité, mais il lui reste encore deux plongées.

Dans la sixième plongée, Naaman doit recevoir le Seigneur Jésus comme son Sauveur, son Seigneur et son Roi. Il ne suffit pas que le passé soit traité. Si Naaman s'en va ayant traité son passé sans que son présent et son futur le soient aussi, il retournera bientôt à son ancienne vie et à ses anciennes voies. Les résolutions prises par une personne de ne plus pécher peuvent être très fermes pour le moment, mais s'éteignent bientôt. Jésus ne purifie pas seulement le pécheur. Il entre en la personne qu'Il a purifiée, à qui Il a pardonné et dont il a oublié tous les actes de violation de la loi de Dieu, pour être un Sauveur, un Seigneur et un Roi résidant en elle, afin de S'assurer que le futur sera vécu pour plaire à Dieu et pour garder Ses commandements. Ainsi, dans la sixième plongée, Naaman reçoit le Seigneur Jésus. La Bible dit de Jésus, la lumière du monde:

« *Mais à tous ceux qui l'ont reçue, à ceux qui croient en son nom, elle a donné le pouvoir de devenir enfants de Dieu, lesquels sont nés, non du sang, ni de la volonté de la chair, ni de la volonté de l'homme, mais de Dieu*» (Jean 1: 12-13).

Quand quelqu'un se détourne de tous ses péchés et de toutes ses voies pécheresses et reçoit le pardon de Dieu, Jésus vient demeurer en lui pour garantir son avenir. A défaut de cette habitation personnelle par Jésus à l'intérieur, la personne pourrait bientôt retourner à ses anciennes voies et recommencer à violer les lois de Dieu, et redevenir un candidat pour le lac de feu.

Dans la septième plongée, Naaman fait un abandon absolu de son esprit, de son âme, de son corps, de sa personnalité, de sa volonté, de sa pensée, de ses émotions, de son argent, de ses biens, de ses investissements, de ses vêtements, de ses possessions, de ses parents, de ses enfants, des ses membres de famille, de sa partenaire, de son ami, de sa tribu, de sa nation, de son emploi, de son entreprise, de sa position, de son rang, de ses titres, de ses honneurs, de sa famille, de ses qualifications, de sa formation, de son expérience, de sa maturité, de son caractère, de ses talents, de son influence, de ses connections, de son temps, de son avenir, de ses désirs, de ses motifs, de ses ambitions, de ses valeurs, de ses gouts, de ses perspectives, et de tout au Seigneur Jésus. Il décide que Jésus Christ sera son tout en tout temps, et aura son tout en tout. Il cède ainsi tout à Jésus et reçoit le plein salut du Seigneur Jésus. Ses péchés sont pardonnés. L'amour du «moi» est abandonné. L'amour du monde en lui cesse. L'amour des choses du monde en lui prend fin. Le Seigneur Jésus prend le trône de son cœur et s'assoit sur ce trône dans la puissance de Dieu.

La maladie physique, la lèpre de Naaman disparut. Toute autre maladie qui se trouvait dans son corps disparut. Tout démon qui se trouvait en lui disparut immédiatement. Toute malédiction qui opérait dans sa vie fut brisée. Le Saint-Esprit remplit son cœur et créa la faim pour Jésus et

Sa parole. Il obéit à Jésus en toute chose, et ce fut le début d'une vie sans masque. Ce fut le début de la célébrité sans masque. Ce fut le début d'une véritable célébrité. La véritable célébrité, c'est Jésus remplissant une personne et coulant au travers de la personne en nouveauté de vie.

La Bible dit de Naaman:

> *«Il descendit alors et se plongea sept fois dans le Jourdain, selon la parole de l'homme de Dieu; et sa chair redevint comme la chair d'un jeune enfant, et il fut pur.» (2 Rois 5: 14)*

14

NAAMAN ET LE CHEMIN VERS LA SANTE ET LA VIE: 06

CE QUE LE SEIGNEUR DIEU FAIT EN CEUX QUI VIENNENT AU SEIGNEUR JÉSUS-CHRIST

Lorsqu'une personne vient au Seigneur Jésus, Dieu fait pour la personne ce qui suit:

«Je répandrai sur vous une eau pure, et vous serez purifiés; je vous purifierai de toutes vos souillures et de toutes vos idoles. Je vous donnerai un cœur nouveau, et je mettrai en vous un esprit nouveau; j'ôterai de votre corps le cœur de pierre, et je vous donnerai un cœur de chair. Je mettrai mon Esprit en vous, et je ferai en sorte que vous suiviez mes ordonnances, et que vous observiez et pratiquiez mes lois.» (Ezéchiel 36: 25-27)

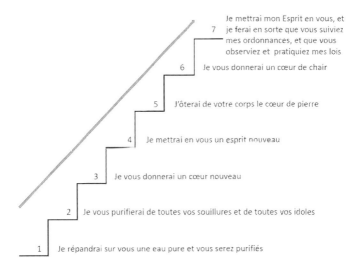

Dieu fait les sept choses ci-dessus en toi quand tu viens à Christ. Tu seras une personne totalement nouvelle sous chaque aspect. Tu auras un cœur nouveau qui aime Dieu et les choses de Dieu. Le vieux cœur qui aimait les choses de Satan et le péché sera ôté. Tu auras de nouveaux désirs, de nouveaux motifs, une nouvelle apparence, de nouvelles attitudes, de nouvelles valeurs, de nouveaux goûts, dé nouvelles dispositions de cœur. Ton langage sera nouveau, tes actes seront nouveaux et tu désireras posséder ce que le Seigneur Jésus-Christ possédait et possède. Dieu te donnera le Saint-Esprit dans Sa pleine mesure, et Il te possédera et te conduira selon Dieu en toutes choses.

Tu aimeras la loi de Dieu et obéira à celle-ci. Avant que le Saint-Esprit ne vienne en toi, tu étais incapable d'observer la loi de Dieu, même quand tu essayais de l'observer. Maintenant tu as un nouveau cœur. Tu as un esprit nouveau et tu as le Saint-Esprit, et tu as Christ pour te fortifier. La Bible dit:

«Il n'y a donc maintenant aucune condamnation pour ceux qui sont en Jésus-Christ. En effet, la loi de l'Esprit de vie en Jésus-Christ m'a affranchi de la loi du péché et de la mort. Car -chose impossible à la loi, parce que la chair la rendait sans force- Dieu a condamné le péché dans la chair, en envoyant, à cause du péché, son propre Fils dans une chair semblable à celle du péché, et cela afin que la justice de la loi fût accomplie en nous, qui marchons, non selon la chair, mais selon l'Esprit.» (Romains 8: 1-4).

Tu n'auras pas d'autres dieux en dehors de l'Eternel Dieu. Tu ne tueras pas. Tu ne commettras pas d'adultère. Tu ne mentiras pas, etc. Tu feras ce qui plaît à Dieu. Tu couleras en bonnes œuvres envers Dieu et envers l'homme. Voilà ce que Dieu fait en la personne qui vient à Christ. Il change radicalement et totalement la personne. C'est merveilleux. C'est ce qu'Il fera en toi quand tu viendras à Lui.

15

NAAMAN ET LE CHEMIN VERS LA SANTE ET LA VIE: 07

CE QU'UNE PERSONNE FAIT APRES QUE L'ETERNEL DIEU L'A CHANGEE

Naaman vivait pour lui-même avant qu'il n'eût la lèpre physique. Il combattait et remportait des victoires pour sa propre gloire. Il cherchait et acquérait la célébrité pour lui-même. Il amassait la richesse pour lui-même. Toute chose devait tourner autour de Naaman et tous devaient servir les intérêts et la gloire de Naaman. Naaman était au centre, et tout était pour lui.

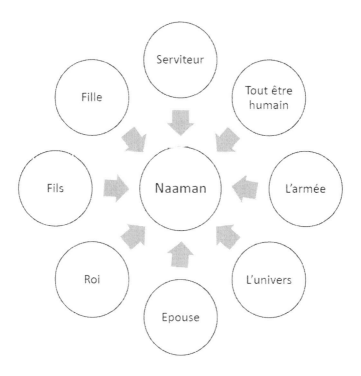

Lorsque Naaman tomba malade, il demeura au centre et voulut que tout le monde et toute chose continuât à tourner autour de lui, à le servir, et à servir ses desseins. Cette fois-ci, il élargit le cercle de ceux qui devaient tourner autour de lui et le servir. Il y inclut le prophète et le Dieu Tout-Puissant.

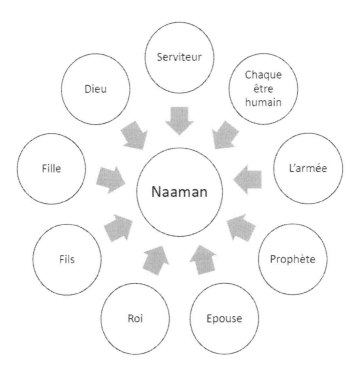

Il y a beaucoup de gens qui disent qu'ils sont venus à Christ, mais qui n'ont réellement pas changé. Ils continuent à vivre pour eux-mêmes, tout en voulant que Christ vienne tourner autour d'eux, et leur offre le pardon du péché, la vie éternelle, et qu'Il vienne déverser toutes les bénédictions sur eux et sur les leurs.

Voici le converti contrefait. Rien n'a véritablement changé

Dans la vraie conversion, le Seigneur Jésus devient central. Le converti cesse d'être un «utilisateur» de Dieu et devient un serviteur de Dieu. Il vit pour Dieu et sert les intérêts de Dieu. Jésus-Christ est venu mourir sur la croix, non seulement pour sauver l'homme de l'enfer, mais également pour transformer la personne sauvée en quelqu'un qui ne vit plus pour lui-même, mais vit exclusivement pour Dieu. La Bible dit:

> *«...et il est mort pour tous, afin que ceux qui vivent ne vivent plus eux-mêmes, mais pour celui qui est mort et ressuscité pour eux.» (2 Corinthiens 5: 15)*

Voici le véritable converti. Tout a changé

Le converti et son tout sont investis à servir le Seigneur Jésus.

C'est ce que Dieu veut faire en toi. Permets qu'Il fasse cela. Amen.

Gloire soit au Seigneur au plus haut des cieux!

Amen.

TRES IMPORTANT !

Si tu n'as pas encore reçu Jésus comme ton Seigneur et Sauveur, je t'encourage à le recevoir. Pour t'aider, tu trouveras ci-dessous quelques étapes à suivre.

ADMETS que tu es un pécheur de nature et par habitude, et que par ton effort personnel, tu n'as aucun espoir d'être sauvé. Dis à Dieu que tu as personnellement péché contre Lui en pensées, en paroles en actes. Dans une prière sincère, confesse-Lui tes péchés l'un après l'autre. N'omets aucun péché dont tu te souviennes. Détourne-toi sincèrement de tes péchés et abandonne-les. Si tu volais, ne vole plus ; si tu commettais l'adultère ou la fornication, ne le fais plus. Dieu ne te pardonnera pas si tu n'as pas le désir de renoncer radicalement au péché dans tous les aspects de ta vie ; mais si tu es sincère, il te donnera la force de renoncer au péché.

CROIS que Jésus-Christ qui est le Fils de Dieu, est l'unique Chemin, l'unique Vérité, et l'unique Vie. Jésus a dit :

"Je suis le Chemin, la Vérité et la Vie. Nul ne vient au Père que par Moi" (Jean 14 : 6).

La Bible dit:

"Car il y a un seul Dieu, et aussi un seul médiateur entre Dieu et les hommes, Jésus-Christ homme, qui s'est donné Lui-même en rançon pour tous" (1 Timothée 2 :5-6).

"Il n'y a sous le ciel aucun autre nom qui ait été donné parmi les hommes, par lequel nous devions être sauvés" (Actes 4 : 12).

"A tous ceux qui l'ont reçu, à ceux qui croient en son Nom, elle a donné le pouvoir de devenir enfants de Dieu" (Jean 1 : 12).

Mais,

CONSIDERE le prix à payer pour Le suivre. Jésus a dit que tous ceux qui veulent Le suivre doivent renoncer à eux-mêmes. Cette renonciation implique la renonciation aux intérêts égoïstes, qu'ils soient financiers, sociaux ou autres. Il veut aussi que Ses disciples prennent leur croix et Le suivent. Es-tu prêt à abandonner chaque jour tes intérêts personnels pour ceux de Christ ? Es-tu prêt à te laisser conduire dans une nouvelle direction par Lui ? Es-tu disposé à souffrir et même à mourir pour Lui si c'était nécessaire ? Jésus n'aura rien à faire avec des gens qui s'engagent à moitié. Il exige un engagement total. Il ne pardonne qu'à ceux qui sont prêts à Le suivre à n'importe quel prix et c'est eux qu'Il reçoit. Réfléchis-y et considère ce que cela te coûte de Le suivre. Si tu es décidé à Le suivre à tout prix alors il y a quelque chose que tu dois Faire :

INVITE Jésus à entrer dans ton coeur et dans ta vie. Il dit :

> *"Voici je me tiens à la porte et je frappe; si quelqu'un entend ma voix et ouvre la porte (de son coeur et de sa vie), j'entrerai chez lui, je souperai avec lui, et lui avec Moi" (Apocalypse 3 : 20).*

Ne voudrais-tu pas faire une prière comme la suivante ou une prière personnelle selon l'inspiration du Saint-Esprit ?

> *"Seigneur Jésus, je suis un pécheur misérable et perdu, j'ai péché en pensées, en paroles et en actes. Pardonne-moi tous mes péchés e purifie-moi. Reçois-moi, O Sauveur, et fais de moi un enfant de Dieu. Viens dans mon coeur maintenant même et donne-moi la vie éternelle à l'instant même. Je te suivrai à n'importe quel prix, comptant sur Ton Saint-Esprit pour me donner toute la force dont j'ai besoin."*

Si tu as fais cette prière sincèrement, Jésus t'a exaucé, t'a justifié devant Dieu et a fait de toi à l'instant même un enfant de Dieu.

S'il te plaît écris-moi (**ztfbooks@cmfionline.org**) afin que je prie pour toi et que je t'aide dans ta nouvelle marche avec Jésus-Christ.

MERCI
D'avoir lu ce Livre

Si vous avez d'autres questions ou besoin d'aide, n'hésitez pas a nous contacter a travers **ztfbooks@cmfionline.org**. Si tu as été béni par le livre, nous serions également ravis si tu laissais un commentaire positif au près de ton distributeur préféré.

ZTF BOOKS, par le biais de la Christian Publishing House (CPH) offre une vaste gamme de meilleurs livres chrétiens en vente (sous formats papier, ebook et audio), portant sur une diversité de sujets, notamment le mariage et la famille, la sexualité, le combat spirituel pratique, le service chrétien, le leadership chrétien et bien d'autres. Vous pouvez consulter le site ztfbooks.com pour obtenir les informations sur nos nouveautés et nos offres spéciales. **Merci de lire un des livres de ZTF**

Restez connectes a l'auteur grâce aux réseaux sociaux (**cmfionline**) ou le site web (**ztfministry.org**) ou nous vous offrons des cours de formation a distance et sur place (durant toute l'année), du niveau élémentaire a *l'Université Mondiale de Prière et de Jeûne* (UMPJ) et a *l'Ecole de la Connaissance et du Service de Dieu* (ECSD). Nous vous attendons. Vous pouvez vous inscrire selon votre convenance. ou notre cours en ligne serait plus adéquat?

Nous aimerions te recommander un autre livre dans cette série: *Le Chemin de la Vie*

*Le professeur Z.T. Fomum présente dans cet ouvrage, premier d'une série de quatorze livres, **la voie pour entrer dans une communion parfaite avec Dieu à travers le salut en Jésus Christ.***

Sont développés, dans ce livre,

- *les raisons de la chute de l'homme,*
- *les tentatives de l'homme pour sortir de l'ancienne création où règnent la mort et le péché, et*
- *la voie de Dieu pour sortir de l'ancienne création, afin de connaitre une nouvelle vie en Jésus Christ.*

*Vous y trouverez aussi **les conseils spirituels pour établir le croyant dans l'assurance de son salut.***

*L'auteur a également évoqué dans ce livre, **les principaux points de la doctrine biblique**:*

- *la rédemption,*
- *l'adoption,*
- *la justification,*
- *le rachat.*

Le livre est profond, puissant pour conduire à l'action par les multiples questions auxquelles le lecteur ou l'étudiant de la Bible doit répondre.

AU SUJET DE L'AUTEUR

 L'auteur avait obtenu sa Licence avec mention « Excellent » et avait reçu le prix d'excellence à Fourah Bay College, Université de Sierra Leone. Ses travaux de recherche en Chimie Organique ont conduit au Doctorat (PH.D), délivré par l'Université de Makéréré, Kampala, Uganda. Ses travaux scientifiques publiés ont été récemment évalués par l'Université de Durham, Grande Bretagne, et ont été trouvés être une recherche scientifique de haute distinction, pour laquelle il lui a été décerné le D.Sc. « Doctor of Science ». Professeur de Chimie Organique à l'Université de Yaoundé I, Cameroun, l'auteur a supervisé 99 mémoires de Maîtrise et thèses de Doctorat. Il est co-auteur de plus de 150 publications parues dans les Journaux Scientifiques de renommée internationale. L'auteur considère la recherche scientifique comme un acte d'obéissance au commandement de Dieu d'aller « assujettir la terre » (Genèse 1 :28). L'auteur sait aussi que le Seigneur Jésus-Christ est le Seigneur de la Science. « Car en Lui ont été créées toutes choses... » (Colossiens 1 :16). L'auteur a fait du Seigneur Jésus le Directeur de son laboratoire de recherche, l'auteur étant le directeur adjoint. Il attribue son succès scientifique à la direction révélationnelle du Seigneur Jésus.

L'auteur a lu plus de 1300 livres sur la foi chrétienne et est lui-même auteur de plus de 150 livres pour promouvoir l'Evangile de Christ. Quatre millions d'exemplaires de ses livres sont en circulation dans onze langues. Seize millions d'exemplaires de ses traités évangéliques sont en circulation dans 17 langues.

L'auteur considère la prière comme étant le travail le plus important qui puisse être fait sur terre pour Dieu et pour l'homme. Il a enregistré plus de 50 000 réponses à ses prières écrites et il est en train de travailler de plus belle pour connaître Dieu afin de Le mouvoir à répondre à ses prières. Il a avec son équipe, accompli plus de 57 croisades de prière (une croisade de prière est une période de quarante jours pendant laquelle au moins huit heures sont investies dans la prière chaque jour). Ils ont aussi accompli plus de 70 sièges de prière (un siège de prière est un temps de prière presque ininterrompue qui varie de 24 heures à 96 heures). Il a aussi effectués plus de 100 marches de prière variant de cinq à quarante-sept kilomètres des villes et cités à travers le monde. Il a enseigné sur la prière encore et encore, bien qu'à plusieurs égards, il soit juste un débutant dans cette science profonde qu'est la prière.

L'auteur considère également le jeûne comme étant l'une des armes dans le combat spirituel chrétien. Il a accompli plus de 250 jeûnes d'une durée variant de trois à cinquante-six jours, ne buvant que de l'eau et des vitamines solubles dans l'eau.

Ayant vu quelque chose sur l'importance d'épargner l'argent et de l'investir dans la bataille d'atteindre avec le glorieux Evangile ceux-là qui n'ont pas Christ, l'auteur a choisi un style de vie de simplicité et de « pauvreté autoimposée », afin que leurs revenus soient investis dans l'œuvre critique d'évangélisation, de conquête des âmes, d'implantation des églises et de perfectionnement des saints. Son épouse et lui ont progressé jusqu'à investir dans l'Evangile 92.5% de leurs revenus gagnées à partir de toutes les sources (salaires, allocations, droits d'auteurs et dons en espèces) avec l'espoir que pendant qu'il grandit en connaissance, en amour pour le Seigneur, en amour pour les perdus, il investira 99% de ces revenus dans l'Evangile.

Au cours des quarante dernières années, 99% du temps, l'auteur a passé entre 15 minutes et 06 heures par jour avec Dieu dans ce qu'il appelle Rencontres Dynamiques Quotidiennes Avec Dieu (RDQAD). Pendant ces moments, il a lu la Parole de Dieu, il a médité là-dessus, il a écouté la voix de Dieu, il a entendu Dieu lui parler, il a enregistré ce que Dieu était en train de lui dire et a prié là-dessus. Il a ainsi plus de 18,000 Rencontres Dynamiques Quotidiennes Avec Dieu enregistrées par écrit. Il considère ces rencontres quotidiennes avec Dieu autour de Sa parole comme étant la force déterminante de sa vie. Ces Rencontres Dynamiques Quotidiennes Avec Dieu, ajoutées à cela plus de 60 périodes de retraites pour chercher Dieu seul, pendant des périodes variant entre 3 et 21jours (ce qu'il désigne Retraites Pour Le Progrès Spirituel), ont progressivement transformé l'auteur en un homme qui premièrement avait faim de Dieu, ensuite qui a maintenant faim et soif de Dieu, tout en espérant devenir un homme qui a faim, qui a soif et qui soupire après Dieu. « O puissé-je avoir davantage de Dieu » est le cri incessant de son cœur.

L'auteur a voyagé de manière extensive pour prêcher l'Evangile. Il a effectué, partant de sa base qui est Yaoundé, plus de 700 voyages missionnaires à l'intérieur du Cameroun, des voyages d'une durée variant d'un jour à trois semaines. Il a également effectué plus de 500 voyages missionnaires d'une durée variant entre deux jours et six semaines dans plus de 70 nations de tous les six continents.

L'auteur et son équipe ont vu plus de 10 000 miracles de guérison opérés par le Seigneur en réponse à la prière au Nom de Jésus-Christ, des miracles allant de la disparition des maux de tête à la disparition des cancers, des personnes séropositives entièrement transformées en personnes séronégatives, des aveugles recouvrant la vue, des sourds entendant, des muets parlant, des boiteux marchant, des démoniaques délivrés, de nouvelles dents et de nouveaux organes reçus.

L'auteur est marié à Prisca et ils ont sept enfants qui sont engagés avec eux dans l'œuvre de l'Evangile. Prisca Zei Fomum est ministre national et international aux enfants; Elle se spécialise à gagner les enfants et dans la tâche de faire d'eux des disciples du Seigneur Jésus, impartir la vision du ministère aux enfants, à susciter et à bâtir des ministres aux enfants.

L'auteur doit tout ce qu'il est et tout ce que le Seigneur a fait en lui et à travers lui aux faveurs et bénédictions imméritées de l'Eternel Dieu Tout-Puissant, et à son armée mondiale d'amis et de co-ouvriers qui ont généreusement et sacrificiellement investi leur amour, leur encouragement, leurs jeûnes, leurs prières, leurs dons et leur coopération sur lui et dans leur ministère conjoint. Sans les faveurs et les bénédictions imméritées de l'Eternel Dieu Tout-Puissant et les investissements de ses amis, amoureux et co-ouvriers, il n'aurait rien été et il n'aurait rien fait du tout.

15/09/08, Yaoundé

facebook.com/cmfionline

twitter.com/cmfionline

instagram.com/cmfionline

AUTRES LIVRES DU MEME AUTEUR

https://ztfbooks.com

LES NOUVEAUX TITRES PAR ZTF

LE CHEMIN DU CHRÉTIEN

LA PRIERE

AIDE PRATIQUE POUR LES VAINQUEURS

DIEU, LE SEXE ET TOI

FAIRE DU PROGRES SPIRITUEL

ÉVANGÉLISATION

1. L'amour et le Pardon de Dieu
2. Reviens à la Maison mon Fils. Je t'Aime
3. Jésus T'Aime et Veut te Gérir
4. Viens et vois Jésus n'a pas Changé
5. La Délivrance du Péché de la Paresse
6. 36 Raisons de Gagner les Perdus
7. Le «Gagnement» des Ames
8. La célébrité un masque

AIDE PRATIQUE DANS LA SANCTIFICATION

1. Le Délivrance du Péché
2. Le Chemin de la Sanctification
3. Le Péché Devant Toi Pourrait Conduire à la mort
4. Le Semeur la Semence, et les Coeurs des Hommes
5. La Délivrance du péché d'Adultère et de fornication
6. Sois Remplis du Saint Esprit
7. La Puissance du Saint-Esprit dans la conquète des perdus
8. Sanctifié et Consacré pour le ministère spirituel
9. La Vraie Repentance

AUTRES

1. La Guérison intérieure
2. Aucun Echec n'a Besoin d'Etre Final
3. Délivrance de l'Emprise des Démons
4. Faire Face Victorieusement aux problèmes de

HORS SERIE

LES FEMMES DE LA GLOIRE

LES ANTHOLOGIES

LA SERIE BIOGRAPHIQUE

EXTRAIT DES LIVRES DE Z.T. FOMUM

DISTRIBUTEURS DE NOS LIVRES

Ces livres peuvent être obtenus auprès des distributeurs
suivants :

ÉDITIONS DU LIVRE CHRETIEN (ELC)

- **Email:** editionlivrechretien@gmail.com
- **Tél:** +33 6 98 00 90 47

CPH YAOUNDE

- **Email:** editionsztf@gmail.com
- **Tél:** +237 74756559

ZTF LITERATURE AND MEDIA HOUSE (LAGOS, NIGERIA)

- **Email:** zlmh@ztfministry.org
- **Tél:** +2348152163063

CPH BURUNDI

- **Email:** cph-burundi@ztfministry.org
- **Tél:** +257 79 97 72 75

CPH OUGANDA

- **Email:** cph-uganda@ztfministry.org
- **Tél:** +256 785 619613

CPH AFRIQUE DU SUD

- **Email:** tantohtantoh@yahoo.com
- **Tél**: +27 83 744 5682

INTERNET

- Chez tous les principaux détaillants en ligne: **Livres électroniques**, **audios** et en **impression à la demande**.
- **Email**: ztfbooks@cmfionline.org
- **Tél**: +47 454 12 804
- **Site web**: ztfbooks.com